35.80

ID003800

SAINT-SIMON L'ADMIRABLE

JOSÉ CABANIS

Saint-Simon
l'admirable

GALLIMARD

Tous droits de traduction, de reproduction et d'adaptation
réservés pour tous les pays

© *Éditions Gallimard, 1974.*

A Maurice-Bernard Endrèbe

09976

« Il avait toujours eu l'intervalle
entre la vie et la mort dans le cœur. »

Saint-Simon.

Il y avait tout un monde de passages, d'escaliers, de « petits degrés noirs, étroits et difficiles », dit Saint-Simon, de réduits obscurs, d'antichambres qui en commandaient d'autres et ne prenaient jour sur rien, de garde-robes qui empestaient, de pièces minuscules pratiquées dans la hauteur, sur deux ou trois niveaux, où les grands seigneurs s'entassaient, se supportaient mal, dormaient et folâtraient peu, car valets et femmes de chambre étaient à portée de voix, dans les entre-sols et aux aguets.

« La Cour eut aussi son lieutenant de Police, dit encore Saint-Simon. Ce fut celui des quatre premiers valets de chambre qui était gouverneur de Versailles, qui par un nombre de Suisses qui ne dépendaient que de lui et force espions qu'il entretenait et qui suivaient la Cour en quelque lieu qu'elle allât, servait à la Cour aux mêmes usages que faisait le lieutenant de Police à Paris; tellement que par ces espions répandus jour et nuit dans les coins obscurs des escaliers, des galeries, des corridors, des cours et des jardins, dans les caba-rets, dans les rues, et jusque dans les appartements par des domestiques donnés ou gagnés, le gouverneur de Versailles savait tout ce qui se passait et en rendait compte... » Saint-Simon y revient volontiers : « Ces

Suisses étaient instruits à rôder, surtout les soirs, les matins et les nuits, dans les degrés, les galeries et les corridors, les privés et les passages, à se tenir dans ceux qui étaient obscurs et peu passants, à s'y cacher... Ils ne disaient mot à personne; mais ils tâchaient d'écouter, de suivre et d'attendre les gens. » Il s'agissait de voir les courtisans « entrer et sortir des lieux où ils allaient, savoir qui y était, n'oublier jamais combien de temps les gens étaient restés où ils étaient entrés... ». Ce palais tout en détours et en dégagements où on apparaissait et disparaissait à volonté, était hanté d'ombres attentives qui ne vous voulaient aucun bien, et dont la curiosité professionnelle garnissait la bourse de ceux qu'on payait pour cela, et détrompait l'ennui des autres, écoutant leurs rapports. Louis XIV était « plus avide de rapports qu'on ne pouvait le croire, quoiqu'on le crût beaucoup ». Quelque chose remuait dans une encoignure, on avait dit un mot, donné un papier, serré une main, ce sera su et quelles seront les suites? « Dans cette Cour, dit Primi Visconti, les murailles ont des oreilles et une langue. »

Coûte que coûte, on vivait là. On pouvait avoir son appartement, ou son hôtel, à Paris ou à Versailles, on n'était rien et parvenu à rien, sans un logement à portée du Roi, fût-ce une soupente qu'on vous disputait. Quand Mme de Montespan, qui y avait régné, s'éloigna de la Cour, on fit passer aussitôt ses meubles par les fenêtres pour occuper sa place. Là se faisaient et se défaisaient les fortunes, ce logement était signe de faveur, et celui de la disgrâce, si on vous en chassait. « On donna alors à Mlle de Fontanges l'appartement contigu au cabinet du Roi. Il y avait un lustre toujours allumé, mais on avait apprêté une chambre à part de la garde-robe, au-dessus de la chambre du Roi, et le Roi montait, ou bien c'était elle qui descendait un petit escalier qui se trouve entre la chambre et le cabinet » (Primi Visconti). La duchesse de La Ferté « logeait à Versailles dans les combles du château », raconte Mme de Staal qui ajoute : « Il me fut impossible d'arriver au haut des degrés, et si quelqu'un de ses gens qui nous suivait ne m'avait portée pour achever les dernières marches, j'y serais restée. » Sous les toits ou aux dépens d'une garde-robe, peu importe, il fallait avoir un coin pour s'y terrer et y manier les grandes affaires, « dans les ténèbres des tête-à-tête », dit Saint-Simon.

Un jour qu'il rendit visite à la duchesse d'Orléans, il la trouva buvant du café « dans la niche de sa petite chambre obscure sur la galerie ». La Dauphine, princesse de Bavière, « passait sa vie, dit Mme de Caylus, dans de petits cabinets derrière son appartement, sans vue et sans air ». Monseigneur, son mari, fils de Louis XIV, homme mûr et futur roi, croyait-on, avait son lit « dans une alcôve » qui n'était qu'un « fort petit lieu », au point qu'il devait s'habiller et se déshabiller dans la pièce à côté, et qu'on appelait le caveau, « cabinet assez obscur sur la petite cour ». Saint-Simon y rencontra plus tard le cardinal Dubois, ce qui nous vaut ceci : « Ce caveau était une pièce à qui une espèce d'enfoncement, moins réel que d'ajustement, faisait une petite pièce assez obscure, où Monseigneur couchait l'hiver, dans les derrières de sa chambre naturelle par la ruelle de laquelle on y entrait, qui avait un degré fort étroit et fort noir en dégagement, qui rendait dans la seconde antichambre du Roi, d'un côté, et dans les derrières de l'appartement de la Reine, de l'autre, et qui avait un autre dégagement de plain-pied dans la cour, à travers une manière de très petite antichambre. Ce fut dans cette antichambre que je trouvai le cardinal Dubois. » Saint-Simon est le Piranèse de ce labyrinthe noir.

*

Comme les anges des églises baroques courent, sautent et volent de la tribune des orgues aux galeries, autour des colonnes et du tabernacle, il montre le cardinal Dubois si fougueux et insensé, qu'il faisait « quelquefois le tour entier et redoublé d'une chambre courant sur les tables et les chaises sans toucher du pied à terre ». Chez Saint-Simon les groupes tourbillonnent aussi, le désordre de la phrase et le retour des mêmes mots témoignant de son dédain des cadences bien ajustées qui faisaient la gloire d'une époque où les jardins eux-mêmes étaient tirés au cordeau : « Les maréchaux de Villeroy, Noailles, Boufflers, et quelques autres ducs, se tinrent à la porte. Je crus en avoir assez fait, et je regardais de la cheminée du salon, toute cette pièce entre eux et moi, mais dans la même. Cela dura près d'un petit quart d'heure. Le duc de Rohan sortit fort animé, le duc de Noailles ne fit qu'entrer et sortir pour prendre l'ordre, et tous vinrent à moi à la cheminée; puis nous sortîmes dans la chambre du Roi où nous nous mîmes en tas à la cheminée. » Le rythme paraît d'autant plus accéléré que, pour finir, il s'immobilise soudain : « On s'embarquait avec les plus tôt prêts, et chacun, hommes et femmes, se jetaient et s'entassaient dans les carrosses sans choix et sans façons. » La gravité, les convenances, l'apparat du siècle de Louis XIV sont pulvérisés par la spontanéité du mouvement, la folie des images et l'imprévu des rapprochements : « La vie à Sceaux, l'assemblage bizarre des commensaux, les fêtes, les spectacles, les plaisirs de ce lieu, étaient chamarrés en ridicule, et les brocards tombaient sur la vie à part de Mme de Vendôme, et jusque sur sa figure. » Ces brocards qui tombent suggèrent l'image d'une riche étoffe aux couleurs entremêlées — des brocarts — , tandis que chamarré, pris à la lettre, ajoute des dentelles, galons, rubans, et toute une passementerie. On les retrouve, mêlés à des papiers en vrac, dans le décor qui entoure le roi et la reine d'Espagne, couchés ensemble : « Là, était un lit de quatre pieds et demi tout au plus, de damas cramoisi, avec de petites crépines d'or, à quatre quenouilles, et bas, les rideaux du pied et de toute la ruelle du roi ouverts. Le roi, presque tout couché sur des oreillers, avec un petit manteau de lit de satin blanc ; la reine à son séant, un morceau d'ouvrage de tapisserie à la main, à la gauche du roi, des pelotons près d'elle, des papiers épars sur le reste du lit et sur un fauteuil au chevet tout près du roi, qui était en bonnet de nuit, la reine aussi et en manteau de lit, tous deux entre deux draps, que rien ne cachait que ces papiers fort imparfaitement. » Il arrivait dans une maison que les papiers volent, comme chez le président de Harlay et son fils, qui ne se parlaient pas : « Les billets mouchaient à tous moments d'une chambre à l'autre avec un caustique amer et souvent aussi facétieux. » Ce n'est pas là écrire « à la diable », comme disait Chateaubriand, c'est s'affirmer d'un autre temps que celui de Louis XIV, qu'on n'aime pas, et renverser au moins par des mots une ordonnance qu'on déteste. Je ne citerai que pour mémoire, et m'amuser, le baroque involontaire : « ... sans que la queue du cardinal Borgia fût portée par personne, qui n'était pas plus longue que celles des autres chanoines. »

*

Ambitions triomphantes ou déçues, intrigues toujours recommencées, hantise de la « disgrâce », désespoir de la « chute », désir persévérant de marquer tel point sur tel autre, de « précéder » qui était jusque-là votre égal, de passer des « petites entrées » aux grandes, de « traverser le parquet » ou de « draper » quand d'autres n'en avaient pas le droit, d'obtenir des pensions, des titres, des gouvernements, des places pour soi-même, ou ses enfants, ou des cousins, neveux, petits-neveux ou gitons, tout cela formait un grouillement et une agitation sourde sous cet ordre apparemment si compassé, et tout, absolument tout, était lié au Roi, dépendait de son bon plaisir. Saint-Simon rapporte un détail sinistre dans son *Parallèle des trois premiers rois Bourbons :* sur son lit de mort Louis XIII entendit de la garde-robe voisine, le « grand éclat de rire » de sa femme et de son frère qui voyaient arriver le moment où tout serait enfin personnellement et définitivement à eux. Tandis qu'il fallut attendre très longtemps pour que Louis XIV fût un roi mort.

Les courtisans, dit Saint-Simon, cherchaient « dans ses yeux ce qu'ils avaient à dire », « un regard, un mot du Roi, qui ne les prodiguait pas, étaient précieux et attiraient l'attention et l'envie », et la Cour entière était « abattue sous le poids du moindre de ses regards ». Louis XIV était né, dit le maréchal de Berwick, « avec un air de majesté qui imposait tellement à tout le monde, qu'on ne pouvait en approcher sans être saisi de crainte et de respect; mais dès qu'on voulait lui parler, son visage se radoucissait, et il avait l'art de vous mettre dans l'instant en pleine liberté ». Primi Visconti assure dans ses *Mémoires* : « Lorsque le Roi daigne tourner un regard vers quelqu'un, celui-ci croit sa fortune faite et s'en vante en disant : " Le Roi m'a regardé! " Vous pouvez compter que le Roi est malin! Que de monde il paye avec un regard! » Sans doute n'est-il pas vrai que s'il avait tourné les yeux vers vous, on tenait quitte Louis XIV, mais cela suffisait pour qu'on espère. « Le visage du prince, écrit La Bruyère, fait toute la félicité du courtisan. » Il convenait d'être « attentif à la manière plus froide ou ordinaire avec laquelle le Roi » vous regardait, mauvais ou bon augure. S'il semblait ne pas vous voir, ou distraitement, c'était la disgrâce : « Ses regards ne tombaient sur moi que par hasard », dit Saint-Simon. L'espoir renaissait si le Roi, s'arrêtant, vous disait quelques mots, ou mieux encore s'écartait pour vous écouter quelques minutes dans l'embrasure d'une fenêtre. Il pouvait n'avoir rien répondu, sinon : « Je verrai », il n'y avait personne qui ne vous envie, et on retrouvait le goût de vivre. On commençait, dit Saint-Simon, « à voir de loin la clarté du jour ». Ce qui est ajouter un sens très concret aux termes trop connus de *Roi-Soleil* : il était la lumière, sans laquelle plus de vie. « J'aime autant mourir que d'être deux mois sans le voir », écrivait le duc de Richelieu. Rentrer en grâce auprès du Roi, pour Saint-Simon lui-même, était « ressusciter ». Espérant y parvenir, Lauzun avait écrit : « Je mourrai content si je peux encore une fois dans ma vie, comme de la boue, me trouver sous ses pieds. » Mme de Sévigné cite avec admiration cette réplique d'un courtisan : « Sire, quand on est assez misérable pour être éloigné de vous, non seulement on est malheureux, mais on est ridicule. »

Il fallait « se surpasser les uns et les autres en flatteries et en bassesse », surtout être toujours là, à chaque passage du Roi, pour qu'il vous remarque, vous voie tout au moins, ou plutôt ne remarque pas votre absence. On attendait des heures pour être, le temps d'un soupir, parmi ceux qui s'inclineraient et montreraient un visage soumis et à l'avance reconnaissant d'une grâce possible. Venir peu à Versailles, c'était la certitude de n'en recevoir jamais, se condamner au néant. Si l'on s'absentait souvent, on risquait de tout compromettre. « Application sans relâche, fatigues incroyables pour se trouver partout à la fois, assiduité prodigieuse en tous lieux différents, soins sans nombre, vues en tout, et cent à la fois, adresses, souplesses, flatteries sans mesure, attention continuelle et à laquelle rien n'échappait, bassesses infinies », voilà ce qui rendit le duc d'Antin « le plus habile et le plus raffiné courtisan de son temps », et le fit combler par le Roi. D'Antin lui-même devait en convenir un jour : « Je ne manquais à rien de tout ce que l'envie de plaire peut suggérer à un courtisan émerveillé. » « Sans humeur et sans honneur », « un vrai courtisan », disait de lui le duc d'Orléans.

Certains n'osaient découcher de Versailles, tel le

duc de La Rochefoucauld pendant des années, demandant la permission de s'absenter, fût-ce une demi-journée, et qui, proche de sa fin, suivait encore le Roi à la chasse, « tout couché dans sa calèche comme un corps mort ». Inutile toute sa vie, mais présent : à lui l'amitié du Roi dont il tira « des sommes immenses ». Quand Racine se fit porter, mort, à Port-Royal, « cela ne fit pas sa cour, remarque Saint-Simon, mais un mort ne s'en soucie guère ». Un mauvais plaisant dira : « Il ne s'y serait pas fait enterrer de son vivant. » Lors de sa dernière maladie, Bossuet s'efforçait de monter et de descendre les terrasses des Tuileries, disant qu'il voulait ainsi « se mettre en état d'aller chez le Roi » : pouvoir gravir l'escalier de Versailles, et vivre, étaient une même chose, et s'il fallait y renoncer il n'y avait plus que la mort.

Pomponne parce qu'il s'absentait, aimant trop sa maison de Pomponne où il allait trop souvent et trop longtemps, et Colbert aidant, fut disgracié, tandis que Pontchartrain, obstinément fidèle, « on ne peut nier qu'il se fût extrêmement enrichi dans les places qu'il avait occupées », Saint-Simon n'en disconvient pas, qui avait pour lui tant d'estime, et encore moins s'en scandalise : c'était la récompense normale de l'assiduité. Chamillart s'était acquis la sympathie du Roi, et devint ministre, en jouant avec lui au billard : il avait, dit Saint-Simon, « pointé par le billard ». Comment s'en étonner : il était là.

*

Cette société compliquée et refermée sur soi, où on ne pouvait faire un geste qui ne fût réglé, dire un mot sans tourner la tête pour voir si on n'était pas écouté, et où on passait ses journées à grimper des marches pour faire une visite ou rendre un hommage de pure convention et sans intérêt, on y tenait tant qu'en être éloigné, si peu que ce fût, c'était l' « exil », tandis qu'on était presque consolé de mourir sans en être jamais sorti. Ainsi le maréchal de Noailles mourut-il dans son fauteuil, sur les cinq heures du soir, « au milieu de sa famille et de toute la Cour qu'il avait tant aimée ». Quelque chose échapperait de la vie de Cour sous Louis XIV (il n'en sera plus de même sous Louis XV, ni jamais), si l'on ne percevait pas que cette servitude des courtisans « tous rassemblés sous le même toit » (Saint-Simon) était aimée par beaucoup, acceptée avec empressement par presque tous les autres. Prestige de la monarchie, dévotion à la personne du Roi ? Assurément pour certains. Le maréchal de Villeroy « pleurait toujours vis-à-vis du Roi, aux compliments que les prédicateurs lui faisaient en chaire ». Louis XIV « victorieux partout, aimé du Ciel, écrivait Mme de Sévigné, les étoiles deviennent heureuses auprès de ce soleil ». Et Racine : « Dans l'histoire du Roi, tout vit, tout marche, tout est en action... C'est un enchaînement continuel de faits merveilleux... En un mot, le miracle suit de près un autre miracle... Le plus sage, le plus parfait de tous les hommes ! »

Surtout, si le Roi venait à vous distinguer, c'était, dit Saint-Simon, « la fortune tout à coup » qui vous « prenait par la main ». Le duc d'Antin évoque ainsi son arrivée à Versailles : « Je crus les cieux ouverts quand je me vis à la Cour. » On vivait des grâces du Roi. Même sans dire mot, on quémandait. « Le Roi fait des libéralités immenses; en vérité, il ne faut point désespérer : quoiqu'on ne soit point son valet de chambre, il peut arriver qu'en faisant sa cour, on se trouvera sous ce qu'il jette » (Mme de Sévigné). « Je lui embrasserai les genoux. Je les lui embrasserai encore et si souvent, que j'irai peut-être enfin jusqu'à sa bourse » (Bussy-Rabutin).

On mesure la dépendance des grands seigneurs, à lire cette lettre de la duchesse de Saint-Simon qui réclame ses appointements de dame d'honneur : elle ne sait plus, dit-elle, « où prendre un sol pour vivre ». On faisait des dettes, bien entendu, qu'on ne payait guère mais qui s'accumulaient, raison de plus pour solliciter le Roi, fût-ce du regard, qui ne donnait jamais assez. A la Cour et jusqu'à la mort, si favorisé qu'on ait pu être, on attendait du Roi toujours plus. Gravitaient donc autour de lui, le suivaient dans toutes ses résidences, autant qu'il leur était permis, le guettaient derrière chaque porte où il s'enfermait, ceux que Saint-Simon appelle « des gens entraînés par la violence de leurs désirs », c'est-à-dire une avidité sans mesure, ou encore, selon son incomparable concision, la « rage de place et d'être ». « A-t-on jamais vu, demande-t-il, un heureux se dire : c'est assez. » Tous, pour avoir davantage, et aussi habilement qu'ils en étaient capables, faisaient « jouer tous les ressorts de derrière les tapisseries ». Ce n'étaient que « pièges », « toiles tendues » pour arrêter l'essor de possibles adversaires, « écueils mortellement à craindre », « épines de tous les jours ». Parmi tant d'autres, « mourait à petit feu de n'être rien, séchait sur pied » le duc de Tallard, pourtant déjà comblé : « Il voulait la pairie; il voulait la survivance de son gouvernement; il voulait une grande charge; en un mot, que ne voulait-il point? » Chez

Fénelon de même, « l'ambition surnageait à tout, se prenait à tout », et même exilé à Cambrai il espérait encore, regardant toujours en direction de Versailles, à l'affût d'un changement qui le ferait rappeler, et lui permettrait d'étancher une soif qui n'était pas assouvie. Archevêque-duc de Cambrai, prince du Saint-Empire, comte du Cambrésis, ce n'était rien : « Les eaux, ainsi qu'à Tantale, s'étaient trop persévéramment retirées du bord de ses lèvres toutes les fois qu'il croyait y toucher pour y éteindre l'ardeur de sa soif. »

*

Dans le premier logement qu'il eut à Versailles, « un trou d'entresol » servait à Saint-Simon de cabinet. La charge de sa femme auprès de la duchesse de Berry lui procura ensuite un appartement plus vaste, « le plus agréable de Versailles ». Là encore, voici où il se retirait : « Tout ce demi-double obscur était coupé d'entresols, sous lesquels chaque cabinet avait un arrière-cabinet. Cet arrière-cabinet, moins haut que le cabinet, n'avait de jour que par le cabinet même. Tout était boisé, et ces arrière-cabinets avaient une porte et des fenêtres qui, étant fermées, ne paraissaient point du tout, et laissaient croire qu'il n'y avait rien derrière. J'avais dans mon arrière-cabinet un bureau, des sièges, des livres et tout ce qu'il fallait; les gens fort familiers qui connaissaient cela l'appelaient ma boutique, et en effet cela n'y ressemblait pas mal. » Saint-Simon accueillait là le Père Le Tellier, dernier confesseur du Roi, et y causait avec lui « bec à bec entre deux bougies, n'y ayant du tout que la largeur de la table entre deux ». La grande galerie, les perspectives, les salons d'apparat où brillaient « l'or et l'azur », où l'on voyait « des vases d'argent d'une grandeur prodigieuse, des lits d'une richesse et d'une beauté surprenantes » (M. Hébert, curé de Versailles), on les traversait seulement. Ailleurs se jouait le jeu véritable, il fallait « cheminer dans la profondeur et les ténèbres », de cabinets en arrière-cabinets, dans les antichambres et par les derrières. « Toutes deux, dit Saint-Simon, bien seules et bien affublées, se rendaient par les derrières chez le Roi. »

*

Des fées passaient ainsi. Mme de Verue en était une, Mlle de Lillebonne aussi, et Mme de Montchevreuil « la plus funeste fée qui se puisse lire dans les romans ». On pouvait les reconnaître à leur « accoutrement » bizarre, et c'était généralement une peur anxieuse qu'elles inspiraient, telle la marquise d'Heudicourt : « C'était une très grande et vieille créature, maigre, hagarde, horrible, avec toutes les horreurs de la vieillesse, qui se crevait de gourmandise, et qui foirait partout; de l'esprit comme les démons. » Saint-Simon n'est pas avare de qualificatifs à son sujet : « terrible fée », « fée malfaisante », « mauvaise fée ». A dire vrai, on n'en trouvait pas de bonnes.

Elles se retiraient volontiers dans une demeure presque inaccessible. « Sa maison, dont la porte était toujours ouverte, était aussi toujours fermée d'une grille qui laissait voir un vrai palais de fée, tels que les dépeignent les romans. » Ainsi vivait la duchesse de Lesdiguières, « de tous points une fée », qui ne voulait voir « dans son palais enchanté, presque désert, mais de la dernière magnificence », à peu près personne. Mme de Mortagne était « une manière de fée » qui, elle aussi, « s'était mise sur le pied de ne sortir jamais de chez elle », mais elle recevait volontiers, et bien. « Vieille et devenue infirme », elle se maria par inclination, et « fila le parfait amour » avec son mari, étrange histoire.

Une autre fée vivait dans les entours de Monseigneur, fils du Roi, Mlle Choin, notamment à Meudon où elle résidait, dit Saint-Simon, « dans un grenier », qui d'ailleurs était un entresol, vrai « sanctuaire » où « n'était pas admis qui voulait ». Mlle Choin était une « fée invisible dont on n'approchait point », mais on savait que ses pouvoirs seraient sans limites si Monseigneur régnait un jour. Elle serait la Maintenon du futur roi.

Ce n'était pas un hasard si la marquise d'Heudicourt, cette fée horrible dont j'ai parlé plus haut, était « de la privance la plus familière » de Mme de Maintenon, et à une autre intime de celle-ci, Mme de Montchevreuil, elle aussi déjà nommée, il ne manquait « que la baguette pour être une vraie fée ». La Bruyère aurait évoqué, dit-on, sous le nom de Zélie, Mme de Montchevreuil dans ses *Caractères* : « une femme fière et dédaigneuse ». On devine qui était la plus fée de la Cour, « la dévote fée » qui s'entourait ainsi de ses semblables. Mme de Maintenon avait, naturellement, son « sanctuaire », on ne la voyait guère ailleurs, et seuls quelques initiés pouvaient y accéder. De là, « cette étrange fée », « cette fée incroyable », « cette fameuse et trop funeste fée », était devenue l' « effroi de la

Cour », et « lançait des coups qui épouvantaient ». On rêvait de se la rendre favorable, tour à tour Fénelon, Bossuet, lui écrivaient. « Vous n'aurez pas oublié au moins de lui faire remonter quelques paroles par Mme de Montchevreuil », recommande Mme de Sévigné à sa fille. Elle était (et, à son image, la princesse des Ursins en Espagne) une « toute-puissante fée implacable ». Vivait auprès d'elle Nanon Balbien, qui avait été sa servante jadis et lui « avait fait son petit pot du temps qu'elle était Mme Scarron ». Nanon Balbien, restée femme de chambre favorite de la reine des fées, était nécessairement « une espèce de fée de second ordre », ou encore « une demi-fée », ou mieux : « sous-fée de la fée ».

Comment imaginer que sans un pouvoir magique Mme Scarron, « une créature de si vil aloi, créole publique, veuve à l'aumône de ce poète cul-de-jatte », ait pu régner à la Cour ? Ainsi la voit Saint-Simon, plus puissante qu'elle ne fut, mais cela fait partie de sa mythologie, de ses dons de romancier, et introduit dans ce tableau d'une Cour qui se voulait si raisonnable une touche de fabuleux, et des créatures singulières, secrètes, tirant sur la sorcière. Saint-Simon loge la marquise de Maintenon, l'enferme à demeure, inexpugnable, dans ce cabinet des fées où il n'entra lui-même que furtivement, mais qui était de plain-pied avec l'appartement du Roi, et où les enfants n'auraient rencontré aucune de ces apparitions charmantes des contes de Perrault qui changeaient une citrouille en carrosse, donnaient de l'esprit aux nouveau-nés, et faisaient naître des roses dans la bouche des petites filles sages.

*

C'était une Cour sans enfants. Saint-Simon ne dit rien de la fille qu'il avait eue, jusqu'au jour où il la marie. Parlant au duc d'Orléans de la sienne, il lui fait observer qu'elle a déjà plus de quatorze ans et qu'elle doit « commencer à lui peser ». Une fille, dans ce milieu, on s'en débarrasse, si l'on ne s'en sert pas. Refuse-t-elle le couvent, on en est « fort en peine » : il s'agit de « s'en défaire promptement à un mari », et si possible de « s'en défaire pour rien ». Tels sont le langage et l'esprit du temps. « Comme elle n'avait rien, on l'avait mariée à ce Bacqueville, qui était riche, mais le néant. »

Les enfants ne paraissaient, on ne les connaissait, ils n'intéressaient qu'en âge d'être mariés, si leurs proches pouvaient en tirer profit. Même ceux de sang royal, on les ignorait aussi longtemps qu'on ne pouvait envisager un troc fructueux. « Aucun des deux Dauphins et aucune des deux Dauphines, note la duchesse douairière d'Orléans, ne s'est jamais inquiété de ses enfants. » Il est vrai que ceux-ci n'avaient pas alors l'importance qu'on leur donne aujourd'hui, on en faisait beaucoup, sans parler des fausses couches à répétition, et ils mouraient comme des mouches. Dans les familles modestes les enfants comptaient cependant, ils étaient une aide pour les travaux des champs ou de l'échoppe, on vivait avec eux, ils avaient leur rôle et leur place : dans *La Paysanne pervertie* de Restif de la Bretonne, qu'on regarde la gravure montrant Edme Restif à table, entouré de sa femme et de leurs quatorze enfants. Rien de tel à la Cour.

Les survivants, si une occasion vraiment profitable se présentait, ou pour ne pas laisser échapper un parti que d'autres convoitaient, on les mariait très jeunes. Mlle de Pompadour fut mariée à Courcillon, fils de Dangeau, à treize ans, et elle était grosse à treize ans et cinq mois. Le comte d'Évreux épousa la fille de Crozat qui n'avait pas douze ans. Quand Marie-Louise de Savoie dut partager le lit de Philippe V, qui avait dix-huit ans, elle en avait treize. « Mme la duchesse de Tallard est déjà grosse; elle n'a que quatorze ans » (Mme de Sévigné). La fille cadette du maréchal de Lorge ne fut mariée qu'à près de quinze ans, mais à Lauzun qui en avait soixante-deux. Imaginons les premières effusions, ce spectacle, cet étonnement. Monde abominable où les enfants sont tenus pour une marchandise, et où jamais on ne voit un enfant en liberté. Le jeune Louis XV passe, vers la fin des *Mémoires* de Saint-Simon, beau et mélancolique, sombre souvent et les yeux pleins de larmes, entouré de tant de gens pour le servir, le garder et l'aduler qu'à y regarder de près il faudrait peut-être tout pardonner à quelqu'un qui n'a eu ni père ni mère, ni amis, ni enfance, traqué et truqué dès le premier jour, « couronné et gâté », dit Saint-Simon. Tous les enfants en étaient là, d'autant plus sacrifiés que leur naissance était haute à ce monstre qu'était la famille, machine à parvenir.

Une seule fois, l'enfant paraît dans sa vérité, grâce à une petite fille qu'on tint toute sa vie pour un peu folle, et qui l'était sans doute, mais avait-elle tort? On l'avait livrée à l'Espagne, dans l'intérêt des combinaisons politiques du moment, et pour assurer la grandeur de la famille d'Orléans. Elle fait voler soudain en éclats les conventions et les ridicules de la Cour d'Espagne, qui ne le cédait en rien dans ce domaine à la Cour de France. On vient donc d'y envoyer la fille du Régent, qui a douze ans, « toute seule parmi tous gens inconnus », pour l'y marier, et c'est l'occasion de la grande ambassade de Saint-Simon, en soi parfaitement inutile, mais dont il attend des avantages pour lui et ses fils. La petite princesse reçoit Saint-Simon en grand apparat, « sous un dais, debout, les dames d'un côté, les grands de l'autre ». Après avoir écouté le compliment respectueux de l'ambassadeur, « elle me regarda, et me lâcha un rot à faire retentir la chambre. Ma surprise fut telle que je demeurai confondu. Un second partit, aussi bruyant que le premier. J'en perdis contenance... Enfin un troisième, plus fort que les deux premiers... ». C'est tout ce qu'il en obtint, avant de s'en retourner. Pendant quelques instants, un peu d'air frais était passé à la Cour d'Espagne.

*

A Versailles, comme partout, on ne parvenait pas seul, avec cette particularité qu'aucun groupe, aucune cabale, n'y valait un lien de parenté. Le petit-fils de Mme de Sévigné séjourne-t-il à Versailles, elle demande « si le Roi ne lui a point fait quelque mine, ou dit quelque parole », et déplore : « C'est dans ces occasions qu'un père ou un oncle auraient été d'un grand secours. » On ne l'aura pas remarqué, n'étant « soutenu par aucun des siens... C'est un malheur... ». Saint-Simon dit qu'il fit entrer le marquis de Levis au Conseil de régence : il était « gendre du feu duc de Chevreuse, neveu par conséquent du feu duc de Beauvillier, mérite transcendant pour moi ». Mme de Caylus trouve tout naturel que « l'héritier du cardinal de Richelieu » soit « revêtu des plus grandes dignités de l'État ». Le fils de Colbert était archevêque de Rouen, le frère de Louvois archevêque de Reims à vingt-sept ans, se comportant « en colonel de dragons plus qu'en prélat », mais il pouvait tout se permettre, et l'Église se prêtait à ces infamies. Quand Colbert mourut, la famille Louvois, qui guettait, rafla toutes les places. Les Colbert mirent un certain temps à refaire surface, mais ils y parvinrent, se serrant les coudes. Le jour où d'Argenson dut abandonner les Finances, restant garde des Sceaux, il en profita pour « faire passer sur la tête de son fils aîné sa charge de chancelier de l'Ordre de Saint-Louis, et le titre effectif à son cadet. Sa place de conseiller d'État qu'il avait conservée, il la fit donner à son aîné avec l'intendance de Maubeuge, et fit son cadet lieutenant de police ». On eut ainsi un « lieutenant de Hainaut de vingt-quatre ans », et un lieutenant de police plus jeunet encore.

Les places, les pensions, les cordons, les charges, on les devait, sauf exceptions très remarquées, à un père, à un beau-père, à un gendre, à un frère, à un cousin, déjà en place, ou à une femme qui avait eu « les honneurs de la couche royale », comme on disait. Avait-on réussi ou « pointé », rien n'était plus nécessaire que des parents solidaires de votre fortune, et qui contribueraient à vous « soutenir ». Il fallait avoir « autour de soi un groupe qui rassemble et concilie le monde, qui soit instruit à tout moment des intrigues de ce qui se passe et de l'histoire du jour, qui sache raisonner et combiner... ». Frères, beaux-frères, cousins et neveux, formaient tout naturellement une garde efficace et dévouée : toute la famille était concernée par le succès d'un seul. L'évêque de Meaux, Bissy, avait dû s'abandonner aux Jésuites, assure Saint-Simon, car « il ne pouvait rien se promettre par lui-même », étant « sans famille, sans amis ». Tout le monde n'était pas d'Église, pour user d'un tel recours, ou poète-courtisan, comme Racine, et s'illustrer par le théâtre. D'où, la politique des mariages.

Saint-Simon aurait souhaité pour le fils de son ami Chamillart une alliance avec les Noailles, « ancrés partout par leurs filles ». Le maréchal de Noailles avait eu en effet vingt et un enfants, dont neuf filles. Le fils aîné avait épousé en 1698 Mlle d'Aubigné, nièce de Mme de Maintenon et un avenir superbe lui était donc promis, comme il arriva. Saint-Simon énumère les puissants de la Cour, depuis Mme de Maintenon jusqu'au duc de Bourgogne, qu'inévitablement Chamillart et tous les siens auraient à leur dévotion, par un tel mariage, de sorte que réunies ces deux familles pourraient « tenir tout ». Saint-Simon raconte plus tard, sans l'ombre d'un scrupule, le mariage de son propre fils, le duc de Ruffec, qui devait lui assurer une alliance avec ces mêmes Noailles, « une famille si établie » : ce mariage fut résolu, avec Mme de Bournonville, qui « pour le bien était le plus grand parti de France », alors que son mari vivait encore, ne battant plus que d'une aile, il est vrai. Bournonville mourut le 5 janvier, et sa veuve épousa Ruffec le 26 mars. On avait dû bâcler l'affaire, tant la promise promettait : le jeune homme aurait ainsi du bien, mais surtout « des entours qui le pussent porter ». Quant au mariage de sa fille, affreuse créature, avec le prince de Chimay, « homme sans règle » qui l'épousait par calcul, Saint-Simon l'évoque avec plus de désinvolture encore. Une fille faite pour n'être point mariée, mais qu'un calculateur présentable acceptait cependant, c'était un troc, une marchandise, un paquet qu'on livrait. « Il fallut conclure, et le mariage se fit à Meudon, avec le moins de cérémonie et de compagnie qu'il nous fut possible. »

Ces familles ainsi bâclées étaient unies, fortes et homogènes, la solidarité familiale jamais en défaut. C'était un lien d'intérêts et d'ambition, que Saint-Simon aurait voulu plus étroit encore et plus exigeant : « On est fort, quand on se soutient dans les familles et les parentés, et on est toujours la dupe et la proie de s'abandonner, c'est ce qui se sent et se voit tous les jours avec un dommage irréparable. » Les filles qui ne peuvent servir à former un lien nouveau et utile, on les met au couvent, et on calcule le mariage des autres comme une entreprise bénéfique pour la famille entière. Le mariage d'un fils, surtout, doit faire avancer tout le monde. Les sentiments, les goûts, le physique, si l'on est raisonnable, ne comptent pas, et cela, pour les enfants et petits-enfants du Roi comme pour le petit gentilhomme de province débarqué à Versailles mais qui n'y est encore rien. De nos jours, beaucoup déplorent le relâchement des mœurs (on l'a toujours fait), et que deux êtres couchent ensemble simplement parce qu'ils en ont envie ; à Versailles on faisait coucher ensemble, en principe pour la vie, deux êtres qui n'en avaient nulle envie. Où est l'absurde ? La bourgeoisie, cent ans plus tard, fera du mariage une affaire d'argent : la noblesse d'Ancien Régime, sans négliger certes la fortune, y voyait surtout un moyen de se pousser dans la hiérarchie subtile de la Cour, une affaire déjà. « L'affaire fut bientôt conclue », c'était la formule ordinaire. Un bon mariage devait être « un chausse-pied ».

C'est pourquoi les enfants des ministres, source de toute grandeur, se mariaient presque toujours dans la plus haute noblesse, qui avait de grands besoins. Cela avait commencé avec les nièces de Mazarin : « Les plus grands princes se disputaient l'honneur d'entrer dans cette alliance » (Choisy). Mme de Bouillon avait désiré l'une de ces nièces pour le duc de Bouillon : « très habile femme », elle songeait à « rétablir les affaires de sa maison ». Le prince de Conti, frère du Grand Condé et de Mme de Longueville, prenant pour femme une des nièces de Mazarin, déclara qu'il ne voulait « épouser que le cardinal ». Le duc de La Rochefoucauld avait dû accepter que son fils épousât la fille de Louvois, car pour lui aussi cela « rétablit sa maison », et une telle alliance était si convoitée que le maréchal de Luxembourg aurait usé de sorcellerie, disait-on, pour que son propre fils devînt le gendre de Louvois. Les ducs de Chevreuse, de Beauvillier et et de Mortemart épouseront les filles de Colbert, les ducs de La Feuillade et de Quintin-Lorge celles de Cha-millart, dont le fils épousa une Mortemart. La duchesse de Béthune était la fille de Foucquet. Mettre au point un mariage qui permît d'accéder un peu plus près du Roi, au travers de la chambre du Conseil ou de son alcôve, c'était avoir vraiment l'esprit de famille.

Saint-Simon cite avec éloges le cas d'un cousin ger-main de la duchesse de Beauvillier que son mari, qui était ministre, « tira de la poussière, qu'il mit en place et qui est mort, sa famille nombreuse établie, jouissant de plus de quatre-vingt mille livres de bienfaits du Roi, sans compter les grâces militaires et ecclésiastiques et les autres emplois qui plurent largement sur ses enfants ». Saint-Simon ajoute qu'à cette faveur si merveilleuse, « d'autre cause que de M. de Beauvillier, on n'en connaissait pas ». Pur favoritisme, par conséquent, et voilà comment il fallait entendre la famille, dont Saint-Simon pense que, de son temps, on ne faisait pas assez de cas : jadis, « la parenté influait beaucoup, autant comptée, prisée et respectée lors, qu'elle est maintenant oubliée ». Cependant La Feuillade, parce que gendre de ministre, commandera en Italie, et se fera battre devant Turin d'où Vauban avait été écarté, qui aurait porté ombrage au favori incapable. Chamillart avait écrit à celui-ci que le vieux Vauban « avait grande envie de finir sa carrière par le siège de Turin... Il me l'a dit... Mais il est assez difficile d'accorder sa proposition avec le personnage que vous avez à faire ». Vauban n'avait pas de famille : on lui préféra « le gendre fatal », comme l'appelle Saint-Simon. Défaite française, mais victoire de la famille.

Faire la fortune d'un parent, si on était en mesure d'y réussir, augmentait votre propre gloire. On manifestait la puissance où l'on était parvenu. Quand Mme de Maintenon sentira la sienne se dessiner, elle écrira à son frère : « Nos fortunes seront communes... » Il aura en effet une place de gouverneur et trente mille livres de rente. Mme de Maintenon pourra justement écrire plus tard à sa nièce : « Songez que c'est uniquement la fortune de votre tante qui a fait celle de votre père et la vôtre. » On avançait par vagues.

Mme des Ursins, rentrée en grâce et en triomphe, demanda un duché pour l'un de ses frères, et le chapeau de cardinal pour l'autre, « qu'elle avait voulu perdre et faire pourchasser par l'Inquisition », mais il n'importe : pas de fortune complète si la famille dans son entier n'y trouve pas son compte. Quand Jérôme de Pontchartrain, fils du chancelier, et lui-même secrétaire d'État, songe à « se retirer », ou feint d'y songer, Saint-Simon s'agite pour qu'il n'en fasse rien : ce serait « la perte » de la famille. Les années passant, et Saint-Simon devenu l'ennemi mortel de Jérôme de Pontchartrain, il le fait chasser par le Régent, mais donner sa charge à son fils encore enfant, assurant ainsi « le salut de la famille ». Une disgrâce était donc une menace, bientôt suivie d'effet, pour tous les proches de qui était frappé. Il fallait être sûr, si l'on voulait abattre quelqu'un, qu'une famille puissante n'allait pas le soutenir pour ne pas tomber avec lui, qui finalement risquait d'être la plus forte. Ainsi, le duc de Noailles que le Régent médite d'écarter : « Les établissements de ses sœurs et de toute sa famille sont immenses, tous gens qui, par intérêt et par honneur, ne peuvent pas ne point sentir vivement le coup dont il sera frappé », tous changés en « ennemis irréconciliables ». Sans doute un homme en place, s'il voit proche une disgrâce inévitable, ménage-t-il d'ordinaire pour chacun des siens « une planche après le naufrage », mais surnageront-ils ? « Vous allez être bien surprise et bien fâchée, écrit Mme de Sévigné à sa fille. M. de Pomponne est disgracié ; il eut ordre samedi au soir, comme il revenait de Pomponne, de se défaire de sa charge... M. de Pomponne m'embrassa, sans pouvoir prononcer une parole : les dames ne purent retenir leurs larmes, ni moi les miennes, ma fille, vous n'auriez pas retenu les vôtres... Huit enfants, n'avoir pas eu le temps d'obtenir la moindre grâce! »

Touchant, le portrait par Saint-Simon de Chamillart, médiocre, bienveillant, ministre favori parce que assez niais, entêté, patient, « riant jaune avec une douce compassion à qui opposait des raisons aux siennes », d'un dévouement pour le Roi et d'un bon vouloir sans limites, « les mains parfaitement nettes », et qui sait disparaître de la scène avec autant de simplicité qu'il y était venu, par hasard. Mais cet homme intègre avait été une mine d'or. Si, brusquement renvoyé, il ne témoigne d'aucun trouble, « pour sa femme, ses filles, leurs proches entours, dit Saint-Simon, c'était un désespoir... Quel spectacle!... Une famille désolée, des femmes en pleurs, dont les sanglots étaient des paroles; nulle contrainte en si amère douleur ».

*

Saint-Simon fit comme les autres. Dans le grand jeu de la Cour, sa dignité de duc et pair était sa seule carte, presque rien pour qui était seul. Ce titre et ce rang étaient d'ailleurs tout récents, accordés par Louis XIII à son père par pur caprice et sotte faveur. On sait que le premier duc de Saint-Simon se fit remarquer et estimer du roi par son adresse à lui présenter un cheval quand il en changeait. Né d'un père trop vieux, et depuis la mort de Louis XIII sans crédit, n'ayant bientôt plus que sa mère, d'origine bourgeoise, « fort retirée toute sa vie », Saint-Simon se vit « esseulé dans un pays où le crédit et la considération faisaient plus que tout le reste..., sans oncles, ni tantes, ni cousins germains, ni parents proches... ». Son « entrée dans le monde » fut donc « fort épineuse », il le rappelle souvent. « J'étais seul, et je voulais un beau-père et une famille dont je pusse m'appuyer. »

Il ne cache donc rien de son plan et de ses démarches, sans se douter combien celles-ci pourront paraître étranges, quand aura disparu ce monde si étrange lui-même que fut la Cour du Roi où, si tout allait bien, rien n'était moins dicté par les penchants de la nature que l'union d'un homme et d'une femme. Saint-Simon tint son mariage, sur le conseil affectueux de sa mère, pour une « grande affaire » qui déciderait de sa vie, c'est-à-dire de sa réussite. Il lui aurait déplu de contracter une de ces alliances, si courantes, avec la fille d'un ministre tout-puissant, mais roturier. L'exception unique existait : le duc de Beauvillier était à la fois ministre et grand seigneur, et « sa faveur alors au plus haut point ». Il avait épousé la fille de Colbert, par lui on pourrait être « conduit à tout ». Saint-Simon lui demanda donc sans préliminaires une de ses filles, n'importe laquelle, ne les connaissant pas, insistant, suppliant, ne souffrant aucune objection, puisqu'en réalité ce n'était pas la fille, « c'était lui qui m'avait charmé et que je voulais épouser ».

Le duc de Beauvillier, « les yeux collés sur lui », fut bouleversé par la beauté du procédé, et la franchise, l'honnêteté, la droiture de ce jeune homme qu'il embrassa, le conjurant « de le regarder désormais comme son père ». Aucune de ses filles n'était disponible, pour servir de marchepied au duc de Saint-Simon. Il dut chercher ailleurs, parmi les pères, les mères, bref les familles en crédit. En 1695 il épousa la fille du maréchal de Lorge, ce qui n'était pas le choix rêvé, mais bien tout de même. Le maréchal de Lorge était capitaine des gardes du corps, gouverneur de Lorraine, et sa femme, fille du traitant Nicolas Frémont, lui avait apporté une belle fortune.

Les biens comptaient, en effet, et au dernier moment tout manqua d'être rompu pour cent mille livres, stipulées dans le contrat de mariage, à valoir sur la succession du grand-père le financier. Mais ce que Saint-Simon dit de Lauzun, qui allait épouser sa belle-sœur, vaut pour lui : « M. de Lauzun, aussi plein d'ambition que jamais, ne fit ce mariage que dans la vue de se rapprocher du Roi par un beau-père général d'armée » (*Addition* à Dangeau). Pour lui aussi, il s'agissait de « se soutenir et cheminer ».

« Son mariage, Saint-Simon en a longuement raconté l'aimable et touchante histoire, qui donne une claire idée de son intelligence et de son cœur » (Jacques Roujon, *Le Duc de Saint-Simon*, 1958, p. 49).

*

Un mémorialiste a montré la duchesse d'Orléans à sa table, entourée de papiers, écrivant ses lettres innombrables à sa famille allemande, tandis qu'à côté d'elle ses intimes passaient le temps à jouer à l'hombre : « Si quelqu'un entrait, elle quittait tout pour demander : Quelles nouvelles ? » Saint-Simon lui prête, un jour qu'elle le reçoit à Saint-Cloud, un mot presque identique : « Eh bien ! Voilà bien des nouvelles ! » Cette multitude d'hommes et de femmes, condamnés à vivre et vieillir ensemble, n'avaient à longueur de journée, quand ils avaient salué le Roi et en dehors de quelques charges dérisoires qui n'occupaient qu'un instant, rien à faire. « Il est bien vrai, mon cher Archevêque, écrivait le duc de Bourgogne à Fénelon, qu'il faut dans ce pays-ci prendre son âme entre ses mains pour ne pas se laisser aller à l'abattement et succomber à l'ennui. » Le désœuvrement de ces gens était incroyable, qu'ils tentaient de tromper par des bals, des loteries, des jeux enfantins mais onéreux, le cul-bas, le trou-madame, la bête, la bassette. « Nous jouons toute la journée à un jeu qu'on appelle le hoca... » (Lettre de la duchesse d'Orléans). « On joue des sommes immenses à Versailles. Le hoca est défendu à Paris, sur peine de la vie, et on le joue chez le Roi; cinq mille pistoles en un matin, ce n'est rien; c'est un coupe-gorge. » Quant à la bassette, « on y perd fort bien cent mille pistoles en un soir » (Lettres de Mme de Sévigné). Il était des jeux plus paisibles et plus savants qui tuaient aussi les heures : « Je vis hier M. de Chaulnes, qui est un parfait courtisan; il a demeuré dix jours à Marly, où il a passé ses journées à jouer aux échecs avec le cardinal d'Estrées » (Lettre de Mme de Coulanges à Mme de Sévigné). Mais les semaines, les mois se succédant, pouvait-on toujours jouer aux échecs? « Il y faut un visage riant, avait écrit Fénelon à Mme de Gramont, mais le cœur ne rit guère. » Et La Bruyère : « Il y a un pays où les joies sont visibles, mais fausses, et les chagrins cachés, mais réels... La Cour ne rend pas content; elle empêche qu'on ne le soit ailleurs. » On n'aurait fait que « languir », dit Saint-Simon, si l'on n'avait pas eu à Versailles pour les événements, les personnes, leurs paroles et leurs gestes, leurs attitudes ou leurs silences qui pouvaient en dire long, une curiosité jamais apaisée, « nourriture dont on vit dans les Cours ». Quelles nouvelles ?

« Nous sommes cinq à six à table, raconte la duchesse d'Orléans, chacun s'observe comme dans un couvent, sans proférer une parole. » On interroge les visages. Lors d'une conversation entre le duc d'Orléans et Saint-Simon, note celui-ci, d'un peu loin le duc du Maine les regarde, « de tous ses yeux » : que peuvent-ils se dire ? A Marly, la princesse des Ursins parlait-elle à Mme de Saint-Simon, « cela faisait ouvrir les yeux à tout le monde ». Si Mme de Maintenon avait rendu visite à Mme de Soubise depuis onze heures jusqu'à midi et demi, « toutes les dames de la Cour en étaient émues » (Lettre de Mme de La Troche à Mme de Grignan). On questionnait les valets, on visitait les amis, il y avait toujours à apprendre, et à s'inquiéter. Lauzun, beau-frère de Saint-Simon, était, dit celui-ci, « un Argus dont il fallait se méfier », mais tous lui ressemblaient en cela, avec moins d'esprit. Le fils de Pontchartrain, parmi bien d'autres, était « grand fureteur ». Chacun avait dans sa tête un fichier personnel, où tous les autres avaient leur place, sans cesse mis à jour, indispensable pour dresser une « carte intime de la Cour » et avancer ses pions, mais aussi pour oublier la monotonie et le vide des journées, se donner l'illusion de vivre.

Des riens qu'on croirait démesurément grossis par le loisir, la passion, la vacuité, peuvent se changer bientôt en événements décisifs, et leurs conséquences, que sur le moment on ne prévoyait guère, n'en pas finir d'étonner et de bouleverser un ordre qu'on aurait tort de croire immuable. Ces riens sont donc d'un grand poids, et on était justifié de ne pas les laisser échapper et de les commenter sans fin, pendant les longues attentes du courtisan. Des événements paraissaient au contraire lourds de conséquences, mais tournaient court, quitte, plus tard, à avoir des prolongements insoupçonnables, dans une tout autre direction. « Quelque occupé que j'eusse été et de cette perte et de ses suites, remarque Saint-Simon, je ne l'avais pas moins été d'être au fait de bien des choses considérables en leurs moments, mais dont la plupart se fondent après comme les morceaux de glace, quoique bien des choses importantes dépendent souvent de celles qui se fondent ainsi. » Il fallait donc tout savoir, tout voir, tout retenir, pêle-mêle.

Comme dans toute société close, où chacun dépend des autres, surtout quand un maître despotique peut d'un mot vous élever ou vous anéantir, vous combler ou vous changer en quelqu'un qu'on fuit, tout était signe, indice, menace. « Tout ce qu'il y avait là d'yeux... », dit Saint-Simon. On feignait de causer, quand on n'était là que pour « surprendre », on observait qui entrait chez le Roi, la durée des audiences, les changements de visage, et il est fréquemment question de masques, avec Saint-Simon, et de démasquer. Le Père Le Tellier, débarquant à la Cour, pouvait se croire en tête à tête avec le Roi : « Fagon, premier médecin, tout courbé sur son bâton à côté de Blouin, premier valet de chambre et gouverneur de Versailles, tous deux seuls dans le coin du cabinet, voyaient et entendaient tout. Ils avaient les yeux fixés sur le Jésuite. » Et soudain Fagon « se tourne par vis à Blouin : " Monsieur, lui dit-il en lui montrant le confesseur, quel *sacre!*... " et se replie tout de suite sur son bâton pour examiner la suite de cette première vue... Fagon, qui avait infiniment d'esprit, pénétra ce bon Père dès ce premier coup d'œil. »

*

Un *sacre* est un grand oiseau de proie. Le Père Le Tellier était même, dit ailleurs Saint-Simon, « un sacre consommé ». Le cardinal Dubois en était un autre, mais avec en outre « une mine de fouine », ou encore « l'extérieur d'un furet », ce qui ne l'empêchait pas d'être « un venimeux serpent » dont les prétentions naissantes avaient été un moment « un poulet trop nouvellement éclos, qui traînait encore sa coquille ». Pour un seul homme, tout un bestiaire. Saint-Simon change ses personnages en bêtes.

Lauzun avait tout à la fois une figure de « chat écorché », et « des yeux de lynx qu'il masquait d'une très inutile lunette », Mme de Montchevreuil, qui était « une longue créature sèche et livide, à boire dans une ornière », montrait « de longues dents de cheval », tandis que Pontchartrain avait « une physionomie agréable, perçante, et de furet », et Pussort, oncle de Colbert, « une mine de chat fâché ». La fille du président de Mesmes était « rousse comme une vache », le fils de Pontchartrain « une araignée venimeuse », celui de Basville « un gros bœuf », le chevalier de Nogent « une manière de cheval de carrosse », le duc du Maine « un serpent à sonnettes », le premier valet de chambre Nyert « un méchant singe », Villeroy, plus banalement, un chien enragé, Desmarets « un sanglier enfoncé dans sa bauge », et Lanjamet « un de ces insectes de Cour, qu'on est toujours surpris d'y voir et d'y trouver partout, et dont le peu de conséquence fait voir la consistance ». L'évêque de Boulogne, si décrié, « y vécut et y mourut en loup », tandis que le Père Annat, autre Jésuite confesseur du Roi, l'ennemi des Jansénistes dont se moque la quatrième *Provinciale*, et à qui les dernières sont personnellement adressées, avait été « agneau, loup et lion selon le besoin ». Le Père Le Tellier, par ses menées concentriques, embarrassait le cardinal de Noailles « comme une araignée fait d'une mouche », le chancelier Voysin menait en laisse le maréchal de Villeroy, et c'était « à la muselière » que le marquis d'Effiat menait Bezons, qui était un ours. Le vieux duc de La Rochefoucauld, confiné par ses valets dans le Chenil de Versailles, était « comme un vieux chien galeux, mais de distinction dans la meute, qu'on ne veut pas tuer et qu'on y nourrit jusqu'à la mort ».

Il nous faut avancer un peu plus, au risque d'être accablés par toutes ces bêtes, où nous avions cru rencontrer de grands seigneurs : la signification de cette métamorphose apparaîtra. Sans doute ces apparences animales peuvent-elles tromper : le duc de Chaulnes, lit-on dans une *Addition* à Dangeau, était « un gros homme mat, épais, tout d'une venue, plein de babines et de bourgeons, avec une vilaine lippe, d'où sortaient deux défenses qu'elle ne pouvait contenir, une grosse et large ganache, des jambes d'éléphant, tout engoncé et tout d'une pièce, lent dans ses actions et en sa parole, avec l'air le plus grossier, le plus pesant, le plus bœuf qu'on pût voir... Cette hideuse et informe masse cachait la plus belle âme et l'esprit le plus délié... » De même le prince de Conti, tant admiré de la Cour : son rire « eût tenu du braire dans un autre ». Erreurs du Créateur, incompréhensibles et rares : l'animalité trahissait d'ordinaire le fond de l'être, les vices, les facilités, les complaisances, les haines, les convoitises, les fureurs des uns, le rampement des autres.

Le maréchal d'Huxelles, flatté par le Régent, « fait le gros dos », tandis que le duc de Noailles, furieux d'être malmené par Saint-Simon au Conseil de régence, « se jette sur du papier et de l'encre comme un oiseau de proie », puis s'en va, « brossant comme un sanglier ». A ce même Conseil de régence, c'est Saint-Simon lui-même, lorsqu'il poursuit de sa hargne le duc de Noailles, qui « lui vole dessus comme un oiseau de proie », alors que Desmarets, à l'époque où ce même duc l'attaquait, était à son tour « une mouche pourchassée par l'araignée, et prête à tomber dans ses toiles ». Mais ce duc de Noailles n'en était pas à une métamorphose près, puisqu'il s'identifiait, ni plus ni moins, au « serpent d'Adam et Ève », « dont il conservait le venin parmi toutes les bassesses les plus abjectes ». Si Nyert, nous l'avons vu, était « un vieux singe, plus malfaisant qu'aucun des plus malins et des plus méchants de ces animaux », c'est seulement « le visage d'un vieux singe » qu'avait le comte de Gramont, mais c'était en même temps « un chien enragé ». Visage de singe aussi que celui de Lassay, amant de la duchesse de Bourbon, qui, par ailleurs, « était parfaitement bien fait », tandis que le marquis de Mézières, beau-frère de M. de Charlus, avait « un visage de grenouille écrasée », et le président de Harlay, si méchant, des yeux de vautour. Château-renault, comme l'abbé d'Aubigny, futur évêque de Rouen, sont des buffles, et le dernier des deux montre, ce qui n'arrange rien, une mâchoire d'âne. La duchesse d'Orléans, lorsqu'elle apprend que son fils va épouser une bâtarde du Roi, surgit « comme une lionne à qui l'on arrache ses petits » : il est vrai qu'elle abhorre la bâtardise.

Mme de Montespan avait en effet donné le jour à un « nombreux essaim », tous bâtards détestés et venimeux. Le prince de Carignan et sa femme, bâtarde celle-ci, mais de M. de Savoie, vinrent en France et eurent bientôt une conduite telle qu'on reconnut en eux « les plus grands loups, et les plus affamés ». Mme de Maintenon, succédant auprès du Roi à Mme de Montespan, mais peu prolifique, n'était rien de plus qu'une « amphibie sortie des eaux de la mer ».

Ce n'est pas tout, et j'en passe. Courcillon sautait « sur son pied comme une pie » (il n'avait qu'une jambe). Le duc et la duchesse de Villars rappelaient « des rats à deux pieds » fuyant la maison qui s'écroule, la duchesse de Gesvres se déplaçait « comme ces grands oiseaux qu'on appelle demoiselles de Numidie ». Lanjamet avait « un nez de perroquet fort étrange qui tenait tout son visage », sa femme était « méchante comme un serpent », Mme de Montauban « plus méchante qu'un aspic ». Curieusement, l'abbé de Vaubrun était « un vilain et dangereux escargot », tandis que la comtesse de Lussan était « une fausse, hardie, et maîtresse poulette ». Le Grand Prieur de Vendôme, qui avait le goût autant des hommes que des femmes, était « au poil et à la plume ». Une cabale qui s'amplifiait à la Cour, on l'entendait « bourdonner et aboyer », mais dans les moments les plus graves, y régnait

« un silence à entendre une fourmi marcher ». Lorsqu'on finit par accueillir au Conseil de régence n'importe qui, ce fut, dit Saint-Simon, ouvrir « l'écurie à toutes les bêtes », et quand le duc de Bourbon, Premier ministre du jeune Louis XV, fit une promotion de l'Ordre du Saint-Esprit où le premier venu fut admis, ce fut revêtir de cet Ordre, ainsi galvaudé, « le chien, le chat et le rat ». Confiant un mémoire au duc de Beauvillier, Saint-Simon remarque : « Je le priai de peser l'endroit des mouches, des crapauds. » C'est ici tout un bestiaire qui est à peser et à comprendre.

Les animaux étaient à la mode au siècle de La Fontaine. Qui n'avait rien pris, on disait de lui : Il n'a pris qu'un rat. D'où sans doute notre verbe *rater*. Essayons de n'en pas faire autant, et de saisir « au vol » Saint-Simon. On rencontre des comparaisons animales dans les lettres de Tessé (« ce vieux renard fait le chien couchant... »), dans celles de Mme de Sévigné qui transforme la maréchale d'Estrées en « lion muet, et les pattes croisées », et plus nombreuses encore dans celles de la duchesse d'Orléans. Elle y racontait que son fils avait « bâfré comme un loup », traitait l'abbé Dubois de « chien perfide », Torcy de crapaud, le Père de La Chaise d'âne à longues oreilles, et se reconnaissait elle-même « fâcheuse et hargneuse comme une punaise ». Plus gracieusement, un journal du temps évoque ainsi le spectacle d'une rue à Rome : « Mme la Connétable est sortie dans un char magnifique... A ses pieds, étaient un grand nombre de cavaliers que sa baguette magique transformait en lions, en léopards, en loups, en cerfs. » Était-ce un souvenir de l'agneau divin ou de la brebis égarée ? Tout ce qui

45

se rattachait à l'Église catholique trouvait volontiers dans le règne animal de faciles images. Le Grand Arnauld reprochait aux ennemis de saint Augustin d'attaquer celui-ci « en renards et non en loups », et quand après avoir été persécuté lui-même il fut présenté au Roi, il passa aux yeux du public, selon les *Mémoires* de Du Fossé, « de la noirceur du corbeau à la blancheur de la colombe ». Pierre Nicole comparait à des mouches ceux qui n'approfondissent rien, qui « effleurent », et pour la Mère Angélique Arnauld, c'étaient les tracas de ce monde qui étaient des mouches, à écarter d'un geste. Dans le camp adverse le Père Nouet, Jésuite, poursuivant les Jansénistes, se donnait pour un « chien de chasse, qui fait lever le gibier », et aux élèves de ces bons pères on apprenait que les fidèles de Port-Royal était des « grenouilles du lac de Genève ». Lors des affaires du Quiétisme, le Pape aurait dit du cardinal de Bouillon, dont les sympathies allaient à la cause qui allait perdre, qu'il « lui parlait comme un sanglier blessé », ce qui est surprenant (Lettre de l'abbé Bossuet à son oncle). Au temps de leur accord, Fénelon disait de Bossuet, en train de fustiger un docteur en Sorbonne de doctrine suspecte, qu'il tenait sa victime « comme un aigle tient dans ses serres un faible épervier », et s'adressant au duc de Bourgogne, il voyait en lui « un taureau furieux qui, de ses cornes aiguisées, va se battre contre les vents ». Une gravure allégorique de Sébastien Leclerc montre un berger adolescent qui serait précisément le duc de Bourgogne, mais devenu la perfection même, et qui conduit paisiblement ensemble le lion, l'ours, le tigre, l'agneau et la génisse : ansi prévoyait-on le règne bienfaisant de l'héritier du trône, et dans un

46

coin de l'estampe deux enfants jouent, l'un avec un aspic, l'autre avec un autre serpent, désormais inoffensifs et familiers.

Saint-Simon a fait sien un procédé qui était alors la banalité même, mais avec une insistance telle que le lecteur attentif en est arrêté et s'interroge. Chez La Fontaine, les bêtes agissaient et parlaient comme des hommes, la comédie animale des *Fables* était la transposition de la comédie des humains. « Ces petits récits, amusettes d'enfants, écrira Taine, contiennent en abrégé la société du XVIIe siècle, la société française, la société humaine. » Peut-être. En tout cas, inverse est le propos de Saint-Simon. « Tantôt il se croyait chien, dit-il, tantôt il se croyait loup... » La démarche de Saint-Simon rappelle plutôt les ombres chinoises des enfants de jadis, où il y avait des personnages à transformation : le charcutier se présentait une tête de porc sur un plat; un coup de pouce, et il l'avait sur les épaules, effaçant la sienne; par le même procédé très simple, la chanteuse au long cou devenait girafe, le gros bourgeois dindon. Les enfants riaient, apprenant l'irrespect.

Saint-Simon parle parfois de « théâtre », de « scènes », d' « actes qui se succèdent » : c'est en comédie animale, mais avec de vraies bêtes, qu'il transforme la Cour, devenue basse-cour ou chenil, ménagerie ou réserve de reptiles, remplaçant ainsi la gravité par le comique, les nobles têtes à perruque par des caricatures, et la considération réciproque qu'on s'y témoignait par la dérision. Si l'exubérance de son écriture dit son refus de l'ordre de Versailles, ce jeu de massacre où le visage même de l'homme est bafoué, pousse plus loin encore le défi : dépouillés de leurs titres, de leurs habits, de leurs riches coiffures et de leurs fonctions, charges, importance, les gens de Cour dans leur pauvre vérité ne sont plus que des bêtes, Versailles métamorphosé en cirque où, bien dressées, elles font leur tour de piste, selon un ordre minutieux et minuté dont elles ne sauraient s'évader, avec cette particularité qu'elles s'envient, se pourchassent et se mordent secrètement, mal apprivoisées, un reste de sauvagerie humaine surnageant, et le Roi, bien entendu, majestueusement tenant le fouet.

*

Ces animaux parlent. Conversations de gens du monde et de salon, non celles des précieuses d'antan, décriées désormais, ni des salons du Siècle des Lumières que fréquenteront les Philosophes, et où on aura l'ambition de susciter et de répandre des idées. Germain Brice, dont la *Description de Paris* n'est que louange pour tout ce qui avait rang élevé aux alentours de 1700, y évoque pourtant « les grands seigneurs de ces derniers temps, qui font gloire la plupart de l'ignorance la plus crasse, et traitent avec mépris ceux qu'ils croient en savoir plus qu'eux ». Mme de Sévigné, si riche en lectures, et en digressions de littérature, de morale et de religion, ce n'est pas Versailles, mais Paris et la province, et c'est aussi la survivance d'un temps révolu, celui des *ruelles*. « Les conversations légères, les cercles, la fine plaisanterie, les lettres enjouées et familières, les petites parties où l'on est admis seulement avec de l'esprit, tout a disparu » (La Bruyère).

Il est essentiel de se rendre compte que Versailles était devenu un immense salon, divisé en une infinité de compartiments, où sans aucune trêve se retrouvaient et caquetaient des gens du monde à l'état pur, c'est-à-dire dont les propos ne se distinguent de ceux du dernier des frotteurs de la Cour que par la situation sociale des gens dont on parle, et dont on ne se lasse pas de dire les réflexions, la conduite, les mariages, les grossesses, la descendance, les gains, les maladies, les habitudes, les bizarreries si possible, et généralement la vie tristement quotidienne. C'est pourquoi le duc d'Orléans, qui avait « infiniment d'esprit et de plusieurs sortes », fuyait Versailles et préférait s'entretenir à Paris, sans compter ses débauches nocturnes, avec des hommes mal nés mais qui avaient quelque chose à lui apprendre, ou l'amusaient. « Je voudrais que mon fils, écrivait sa mère, frayât plus volontiers avec les gens de qualité qu'avec les comédiens, les peintres et les médecins. Quand il est avec eux, il sait causer; mais quand les gens de qualité viennent le voir, il baisse la tête, ronge ses ongles, ne dit mot, et les visiteurs s'en vont mécontents. » C'est qu'ils étaient très ennuyeux avec leurs éternelles nouvelles de la Cour.

« La Marans est une sainte; il n'y a point de raillerie; cela me paraît un miracle. La Bonnetot est dévote aussi, elle a ôté son œil de verre; elle ne met plus de rouge ni de boucles. Mme de Monaco ne fait pas de même : elle me vint voir l'autre jour bien blanche... Le Roi donna une fête lundi dernier à Trianon au roi et à la reine d'Angleterre; il y eut un opéra, où le Roi alla; Mme de Maintenon n'y parut point du tout. Il est grand bruit de la faveur de M. de La Rochefoucauld; on prétend qu'il s'est rendu maître de l'esprit de Monseigneur, et qu'il se sert de son crédit, tout comme le Roi le peut désirer. Sa Majesté mena, il y a quelques jours, Mme de Maintenon suivie de ses dames, souper dans une maison de campagne de ce nouveau favori, qui se nomme *la Selle;* et je vous le dis ainsi, pour ne point vous dire qu'il les mena à la selle. » Ceci est pris dans deux lettres à Mme de Sévigné, l'une de Mme de La Fayette, l'autre de Mme de Coulanges, et montre le ton et la qualité des propos de Versailles.

Je sais bien que Saint-Simon nous apprend que la conversation du duc du Maine était « ravissante », « pleine d'esprit et de traits », et que c'était plaisir de l'entendre, « quoiqu'il pût fort », et que celle du prince de Conti et des visiteurs qui ne cessaient de remplir sa chambre était « toujours curieuse et agréable ». Mais il ne dit rien qui permette d'en juger, si ce n'est que le duc du Maine était « adroit à faire du mal, à toucher cruellement le ridicule ». Le marquis de Canillac, lui aussi, « contait à ravir, et il était le premier homme du monde pour saisir le ridicule et pour le rendre comme sans y toucher ». Ces gens d'esprit, si je ne me trompe, avaient surtout l'art de se moquer des autres. Mme de Castries, si gaie, « assenait les ridicules à ne jamais les oublier ». Saint-Simon insiste volontiers sur « le tour particulier des Mortemart », « si délicat, si fin, mais toujours si spirituel et si agréable, qu'il se faisait distinguer à son caractère unique... », et Saint-Simon en donne quelques exemples. C'était une façon, spirituelle sans doute, de dépeindre et de railler autrui, « une certaine manière de tourner la plaisanterie » (Primi Visconti). Passer sous les fenêtres de Mme de Montespan, qui était

Mortemart, c'était, disait-on, « passer par les armes... Rien n'était plus dangereux que les ridicules qu'elle donnait mieux que personne » (Saint-Simon). « Ce haillon », disait-elle d'une passade du Roi, qui se récriait avec admiration sur « le badinage des Mortemart ». « ... Mme de Montespan, à qui les moindres ridicules n'échappaient pas, et qui savait si bien les faire sentir aux autres par ce tour unique de la maison de Mortemart », dit aussi Mme de Caylus. Elle raconte que la Dauphine, princesse de Bavière, ne put jamais s'habituer « à la raillerie et à la malignité du style de la Cour, d'autant moins qu'elle n'en entendait pas les finesses ».

C'est ce que Saint-Simon appelle des propos « salés ». Il dit que Mme de Caylus elle-même était « charmante » : « elle excellait dans l'art de contrefaire ». Le comte de Gramont avait grand succès et amusait, sachant « trouver le mauvais, le ridicule, le faible de chacun », et « le peindre en deux coups de langue irréparables et ineffaçables ». Fénelon, dans ses lettres de direction à la comtesse de Gramont, lui reprochait, à elle aussi, « un esprit dédaigneux et moqueur » : « Je serai ravi que vous parliez pour louer, approuver, complaire, déférer, édifier : mais je suis sûr que, quand vous ne parlerez que de cette sorte, vous parlerez fort peu et que la conversation vous semblera fade. » Ce serait se priver du meilleur : les « plaisanteries salées jusqu'à l'amertume » (Saint-Simon). Dans le vocabulaire du temps le *fade* s'opposait au *sel*, qui était raillerie.

Si l'on était drôle, c'était donc toujours aux dépens d'autrui, ce qui explique le cas de cet ami du chancelier de Pontchartrain et de sa femme, tourné un jour vers la dévotion et qu'ils appelaient « leur muet, parce que la charité avait mis un cachet sur sa bouche, auquel on perdait beaucoup » : parler avec succès, c'était médire. Le maréchal de Choiseul, qui « ne parlait mal de qui que ce soit », était tenu pour avoir « fort peu d'esprit », et « peu amusant ». Nous avons un écho de ce style prisé à la Cour, grâce aux reparties et aux bons mots, malveillants toujours, et « fort pointus », de Lauzun, conservés par Saint-Simon. Rien dans tout cela qui échappe à la définition que j'ai esquissée plus haut : il existe une façon languissante de parler des autres, et une manière amusante de s'en moquer, qui était celle des Gramont, de Lauzun, de Canillac, des Mortemart, et de tous ceux qui étaient recherchés, en même temps que craints, à Versailles. Le sujet pour tous est le même, et on n'en sort pas : autrui.

« On assure que Mlle d'Elbeuf a dit à Monsieur, que Mme de Richelieu a fait un compliment à M. le duc, sur ce que Madame n'est accouchée que d'une fille; cela fait une fourmilière de dits, de redits, d'allées, de venues, justifications, et tout cela ne pèse pas un grain » (Mme de Sévigné). On surprend un jour le futur maréchal de Tallard à parler tout seul : « On peut juger, dit Saint-Simon, de tous les contes qui en coururent par Versailles. » Une autre fois, Rose, qui « avait la plume » (c'est-à-dire qui contrefaisait l'écriture du Roi dans les lettres que celui-ci était censé écrire de sa main), s'était moqué du prince de Condé, et cela fut « plusieurs jours l'amusement et l'entretien de la Cour ». On voit le niveau. Un mot du duc de Gesvres à Villeroy, lui rappelant leurs origines qui étaient assez basses, « ce fut la matière de la conver-

sation de plusieurs jours, dit Saint-Simon, et le divertissement de la malignité et de l'envie si ordinaire à
la Cour ». On y vivait de ragots. « Le bon mot vola
de bouche en bouche » : bon ou mauvais. « On est
si avide de nouvelles, dit Mme de Sévigné, qu'on a pris
cette guenille, et qu'on ne parle d'autre chose. »

Dans les antichambres et les galeries, dans le parc,
on se rencontrait, d'un appartement à l'autre, aux
mêmes tables, et c'est ainsi que naissaient les réputa-
tions, que se fabriquait la gazette quotidienne de la
Cour. « Petit rediseur mot à mot jusque dans l'oreille »
(Mme de Sévigné), la curiosité du courtisan se prolon-
geait nécessairement en bavardages, qui permettent de
montrer ce qu'on sait et d'en apprendre plus. Ils allaient
tous dans le même sens, dans cette Cour si fastueuse-
ment chrétienne, et où tant d'homélies étaient clamées
dans la chapelle royale, où il était question de charité :
on ne parvient qu'aux dépens des autres, il faut nuire.
Mme des Ursins disait de la Cour d'Espagne : « A
peine connais-je deux courtisans qui s'aiment de bonne
foi », et Mme de Maintenon de celle de Versailles :
« Je sais tant de mal de la plupart des gens que je
vois... » Les rivalités, les jalousies, la vengeance, ne
laissaient rien ignorer de ce qui pouvait desservir, dimi-
nuer, d'autant qu'il arrive au plus médiocre d'avoir
une sorte d'esprit en daubant sur son voisin. « On joue,
on bâille, on s'ennuie, on ramasse quelque misère les
uns des autres; on se hait, on s'envie, on se caresse,
on se déchire. » A Marly, M. de Coulanges conseillait
à Mme de Grignan : « Laissez dire les méchantes
langues. » Quand le duc de Bourgogne, aux armées,
était en difficultés en Artois, il se plaignait dans une
lettre à Beauvillier des « parleurs » de la Cour, et plus

tard, écrivant à son frère, de « tous les discours qui ont été tenus », « méchants discours », dit Mme de Maintenon. Les « langues de Satan » allaient leur train, confirme Saint-Simon, à qui Louis XIV enjoindra sévèrement : « Il faut tenir votre langue. » Saint-Simon parlera « des inventeurs et des semeurs de bruits horribles », mais ne passait pas pour innocent à cet égard. Une lettre qu'il écrivit en 1712 au duc d'Orléans dit son « amertume » d'entendre ce qui sort de « tant de bouches sottes et détestables ». Il leur devait beaucoup, cependant.

« J'étais ami intime, dit-il, de plusieurs dames du palais qui voyaient tout et ne me cachaient rien. » Parmi elles, les filles de Chamillart, et la maréchale de Villeroy, « extrêmement de mes amies ». Elles le mettaient au fait de « mille bagatelles de femme, souvent plus importantes qu'elles-mêmes ne croyaient ». La duchesse de Lorge, sa belle-sœur, lui contait notamment tous les soirs « ce qu'elle avait vu et appris dans la journée ». En lisant la correspondance de Madame, duchesse d'Orléans, les similitudes sautent aux yeux entre ce qu'elle rapporte, et ce qu'écrira Saint-Simon. Lorsqu'il s'agit de la vie prétendument scandaleuse de la veuve Scarron, tout porte à croire que Saint-Simon a recueilli et accepté ce qu'on racontait dans l'entourage de la grosse Allemande, fort drôle, sans façons mais très digne, « farouche et particulière », dit Saint-Simon, et indignée de l'apothéose de la Maintenon, cette « vieille ordure ». La maréchale de Clérambault, familière de la duchesse d'Orléans, qui était « pleine de traits et de sel qui coulait de source » et que Saint-Simon rencontrait souvent, soit chez Pontchartrain, soit à la Cour, a pu lui fournir ces données aussi curieuses qu'incertaines. « Je ne bougeais, dit-il encore, de chez Mme de Blanzac à Paris, et de chez la maréchale de Rochefort à Versailles. » Source de renseignements inépuisable et suspecte que les commérages de toutes ces femmes, auprès de qui Saint-Simon fut très assidu et qu'il paraît n'avoir jamais appréciées que pour cela. Il n'était pas de ces hommes qui « ne se contraignent point sur les demoiselles », comme il dit.

« Ami intime » de Chamillart lui-même, qui lui parlait « à cœur ouvert » pendant des matinées, mais aussi des ducs de Beauvillier et de Chevreuse, et du chancelier de Pontchartrain, il était initié par eux, assure-t-il, dans « une infinité de choses les plus importantes, et quantité qui regardaient l'État et les affaires présentes », lui donnant ainsi à la Cour « un air de considération fort différent de ceux de mon âge », « voyant tout et sachant tout de la première main ». Malheureusement, cette considération, pas un des mémorialistes du temps n'y fait allusion, de sorte qu'on peut se demander, mis à part les affaires des ducs et pairs, qui étaient sa spécialité, si les ministres qu'il connaissait l'entretenaient d'autre chose que de ce qu'ils pouvaient révéler sans rien trahir des secrets de l'État, à l'époque bien gardés. Il dit en passant : « C'est encore Chamillart qui me l'a raconté », et ailleurs : « J'en ai vu les lettres, que Chamillart m'a montrées. » Mais Chamillart aurait-il risqué une disgrâce certaine, en divulguant à cet agité, peu apprécié du Roi, des pièces vraiment confidentielles ?

Cette avidité du courtisan « de voir les mines et d'ouïr les propos », passe-temps, plaisir, précaution essentielle de l'ambition, Saint-Simon reconnaît volontiers qu'elle était chez lui passion. Il se montre avec

Louville, de retour à Paris, « causant tout à son aise, et à beaucoup de longues reprises », et il lui était arrivé déjà de poser à Louville tant de questions qu'il l'avait laissé « sans voix ». Après la disgrâce de la princesse des Ursins, il va la voir, et l'écoute de deux heures à dix heures « tête à tête », et ces huit heures lui paraissent « huit moments ». A son premier passage en France et se rendant en Espagne, Mme des Ursins lui avait révélé une première fois le dessous des cartes, ou ce qu'il prenait pour tel : « Nous causions avec la même liberté qu'autrefois. Je sus par elle beaucoup de détails d'affaires, et la façon de penser du Roi, de Mme de Maintenon surtout, sur beaucoup de gens. Nous riions souvent ensemble de la bassesse qu'elle éprouvait des personnes les plus considérées... » Des informateurs, volontaires ou non, Saint-Simon en avait partout, de sorte que « jour à jour, dit-il, j'étais informé du fond de cette curieuse sphère, et fort souvent, par les mêmes voies, de beaucoup de choses secrètes du sanctuaire de Mme de Maintenon. La bourre même en était amusante, et, parmi cette bourre, rarement n'y avait-il pas quelque chose d'important, et toujours instructif pour quelqu'un fort au fait de toutes choses. J'y étais mis encore quelquefois d'un autre intérieur, non moins sanctuaire, par des valets très principaux, et qui, à toute heure dans les cabinets du Roi, n'y avaient pas les yeux et les oreilles fermés. Je me suis donc trouvé toujours instruit journellement de toutes choses par des canaux purs, directs et certains, et de toutes choses grandes et petites. » S'il n'avait raconté que ce qu'il avait personnellement vu et entendu, les *Mémoires* de Saint-Simon, pour notre malheur, seraient brefs.

56

*

L'une des premières éditions des *Mémoires*, accommodés par Soulavie, portait en sous-titre : « Ou l'observateur véridique... » Depuis, le *regard* de Saint-Simon est le pont aux ânes des critiques. Sainte-Beuve, évoquant ses « débauches d'observation », montre Saint-Simon qui rentre chez lui le soir, « tout échauffé », et là, « plume à la main, à bride abattue, sans se reposer, sans se relire et bien avant dans la nuit, couche tout vifs sur le papier... les mille personnages qu'il a traversés, les mille originaux qu'il a saisis au passage, qu'il emporte tout palpitants encore ». Sainte-Beuve le nomme ailleurs « l'espion du siècle ». On dit aujourd'hui *voyeur*, ce qui est plus conforme à la mythologie du moment.

Il est vrai que Saint-Simon use lui-même du mot : « La multitude des voyeurs... », reconnaît ingénument : « J'aurais acheté cher une cache derrière la tapisserie », et parle de ses « regards clandestins, perçant chaque visage ». Il pratiquait même le jeu des miroirs : « Comme nous nous promenions dans sa petite galerie, j'ai vu dans le miroir du bout qu'il riait en baissant les yeux, comme un homme qui se plaisait à me laisser dire pour me surprendre. » Aux spectacles publics, il était tout à son affaire, tant il y avait à voir, et quand le Grand Dauphin mourut, « il ne fallait qu'avoir des yeux », dit-il, jeu de mots subtil, et impromptu. Une autre fois, multipliant son pouvoir : « Je regardais de tous mes yeux... », ou encore : « Je gouvernais mes yeux avec lenteur, et ne regardais qu'horizontalement pour le plus haut... Attentif à dévorer l'air de tous, présent à tout et à moi-même... » C'est pour lui une jouissance vive et intime, il ne s'en cache pas. Et comme il se montre, en bien des occasions, embrassant des hommes, avouant : « Jamais baiser donné à une belle maîtresse ne fut plus doux... », et dit du chevalier de Rancé qu'il « en devint amoureux » et ne « pouvait cesser de le regarder », on devine la titillation de nos critiques, et tout ce qu'on en pourrait tirer.

Si nous en revenons plus sérieusement à la première apparition du nouveau confesseur du Roi, observé à la dérobée par Drouin et par Fagon, qui traite le Jésuite de *sacre*, il faut convenir que ce mot Saint-Simon ne l'a pas entendu, pas plus qu'il n'a vu la scène. Fut-il renseigné par « quelque curieux collé derrière la porte » ? Quand le bruit courut d'un pro-chain mariage du duc de Chartres, « la curiosité me rendit fort attentif et assidu », dit-il. Là-dessus, il raconte ce qui se passa dans le cabinet du Roi, les propos, l'attitude de Louis XIV, avec tant de naturel qu'on risque d'oublier que, si « attentif » qu'il fût, il n'en put rien savoir que par ouï-dire. Et le compor-tement de Vendôme, lors de la défaite d'Audenarde ? Saint-Simon le décrit avec l'indignation et la précision d'un témoin direct : « Je continue à rapporter simple-ment les faits. » Or depuis longtemps il n'allait plus à la guerre, et pas une fois n'y a suivi Vendôme. On le croirait caché sous la table, à Rome, lors de la bulle *Unigenitus* qui condamna le livre du Père Quesnel et le Jansénisme : nous assistons grâce à lui à la discussion de Clément XI et de ses conseillers, lesquels forcent la main du pape, le malmènent, le traitent de « petit garçon ». A Versailles, Louvois se jette aux pieds du Roi pour le conjurer de ne pas déclarer son mariage avec Mme de Maintenon, et à un autre moment, Louis XIV lève des pincettes sur son ministre, qui veut poursuivre le ravage du Palatinat : le dramatique des propos et des gestes est parfaitement rendu, comme pourrait le faire un témoin, que Saint-Simon n'était pas. Peu avant la mort du Roi, quand Mme de Maintenon, le Chancelier, le Père Le Tellier, et les cardinaux de Rohan et de Bissy se rassemblent dans un coin de la pièce pour décider du rappel possible de l'archevêque de Paris, alors en disgrâce, on a peine à croire que Saint-Simon n'était pas au milieu d'eux. Pour certaines journées mémorables auxquelles il a certainement participé, telle la séance du Parlement qui suivit la mort du Roi, il est aussi difficile de dire quels détails, quels gestes, il a vraiment observés, et quelle fut la part de son imagination, puisqu'il s'attribue, ce jour-là, au milieu de péripéties qui n'eurent pas lieu, un rôle qu'il n'a pas eu et un discours qu'il n'a pas tenu.

A le fréquenter assidûment, on se rend compte que la plupart des faits dont il montre avec la dernière précision le déroulement, les origines, et les secrets, il les a connus par des confidences de Cour, des propos rapportés, qu'il accommodait à sa manière. Instruit, il l'était autant qu'il le dit, mais de seconde ou de troisième main, dirait-on sans s'en douter, bien qu'il reconnaisse une fois, par distraction, peut-être : « Je ne voyais tout cela que par ricochets. » Ce qui n'est plus voir, mais entendre.

Il nous livre le dialogue du Régent et de Mme de Parabère « entre deux draps », assuré de son fait car un « coucheur » de Mme de Parabère, qui « n'était pas fidèle », l'avait rapporté à Biron, qui à son tour le lui a confié. De Mme de Parabère, qui avait pu mentir à son greluchon, puis de celui-ci à Biron et de Biron à Saint-Simon, on voit les étapes, et tout ce que chacun avait pu ajouter, ou retrancher, d'une conversation dont finalement rien n'est sûr. Quand Louvois mourut, Louis XIV était si monté contre lui, qu'il était à la veille d'être mis à la Bastille, Saint-Simon n'en doute pas, car Chamillart le lui a dit, qui le tenait du Roi. Est-ce exactement ce qu'a dit le Roi, et s'il l'a dit, se confiant à Chamillart, disait-il vrai ? Dans une *Addition* à Dangeau, Saint-Simon précise, parlant de lui-même : « Celui qui a écrit ces notes a su cette anecdote de M. de Joly de Fleury, procureur général du Parlement, qui l'a sue lui-même de la bouche de l'un des trois témoins. » Il dit ainsi ses sources qui lui paraissent certaines, quand elles ne sont qu'une cascade de propos invérifiables. Quelle fut, heure par heure, la vie de Mme de Maintenon à Saint-Cyr où jamais il ne la visita, comment Saint-Simon peut-il nous l'apprendre sans en rien omettre ? « Mme de Thibouville, qui était Rochechouart, sans aucun bien, et mise enfant à Saint-Cyr » où Mme de Maintenon l'avait prise en amitié, devint plus tard voisine de La Ferté et passait des mois chez Saint-Simon : voilà la source. De ces souvenirs de petite fille, Saint-Simon fait le plus parlant des tableaux, et l'idée ne l'effleure pas que vérité et fantaisie peuvent s'y mêler. Ce que le Père de La Chaise dit un jour au Roi, et que Maréchal, le valet de chambre, lui a redit « mot à mot deux jours après » *(Parallèle des trois rois)*, il le donne pour un fait incontestable. Il assure que Louis XIV ne voulait pas « céder un moulin de la succession d'Espagne », c'est Chamillart qui le lui a dit : or, dès ce moment, Louis XIV songeait à céder beaucoup plus. Si Lauzun lui raconte une histoire incroyable qui déshonorerait le président Lamoignon, enrichi « du sang de l'innocent », il la tient aussitôt pour « historique », et son propre récit est criant de vérité, mais comment se fier à Lauzun ? Ou bien, il ne dit pas ses sources, et on peut se demander comment ont pu arriver jusqu'à lui les conversations, tête à tête, de Louis XIV avec son frère, ou les propositions que fit en confidence le Père Le Tellier au cardinal de Rohan. Sans doute, toujours les « valets intérieurs », dont tout ce qu'ils pouvaient dire est tenu pour argent comptant. Ce que rapporte Saint-Simon de Jérôme de Pontchartrain, ruinant volontairement la marine, n'est que l'écho de « commérages de certains milieux [1] ». Pour Fénelon, « je ne le connaissais, dit Saint-Simon, que de visage, trop jeune quand il fut exilé. » Dieu sait pourtant s'il en parle, admirablement, et combien de fois il fait parler Louis XIV alors que rarement il pourrait dire, comme au camp de Compiègne : « J'étais à trois pas du Roi. »

Sa méthode, la voici : « Je sus encore par le maréchal de Boufflers... Je sus tout cela par le curé de La Ferté, qui était homme d'esprit... Je finissais d'ordinaire mes journées par aller, entre onze heures et minuit, causer chez les filles de Chamillart, où j'apprenais souvent quelque chose... Je mettais les uns et les autres sur les voies, et, par conversation,

---

1. M. Giraud, « Tendances humanitaires à la fin du règne de Louis XIV », *Revue historique*, 1953, t. I, p. 217 à 237. Voir aussi : Dahlgreen, « Jérôme de Pontchartrain et les armateurs de Saint-Malo », *Revue historique*, mai-juin 1905, p. 246 à 250.

je les enfilais doucement à raconter ce que je m'étais proposé de tirer d'eux... J'allai trouver la comtesse de Beuvron, qui me conta que... »

Un bruit qui court, s'il va dans son sens, il l'accepte sans examen, et le présente avec une telle conviction et si chargé de vie qu'on hésite à ne pas admettre son témoignage, qui cependant n'en est pas un. Ainsi l'empoisonnement de la première duchesse d'Orléans, par le marquis d'Effiat, relaté par Saint-Simon soixante-dix ans plus tard, et dont il n'avait pu avoir qu'un écho lointain puisqu'il n'était même pas né à ce moment-là. Il n'empêche, nous saurons tout, les gestes, les mots, les ressorts, les suites. On les lui a racontés.

*

Pas si *voyeur* que cela, mais infatigable *auditeur*, voilà ce que fut Saint-Simon, et ce dernier terme est aussi de l'époque : Bourdaloue dans ses sermons, couramment s'adresse à ses « chers auditeurs ». Tout yeux, sans doute, quand il pouvait, mais tout oreilles surtout, usant de notes anciennes pour certains épisodes, Saint-Simon a repris bien des années plus tard ce qu'il avait entendu dire, et mémoire et imagination aidant, a fait vivre un monde autant imaginaire que vrai, mais qui a sur l'histoire exacte, érudite et objective, la supériorité immense, précisément, de vivre. La séance même du Conseil de régence, où fut décidé l'abaissement des bâtards du Roi, et où sont montrées avant tant de vérité les mimiques successives et contrastées des personnages, assis des deux côtés de la table, la critique historique la plus élémentaire oblige de dire qu'on n'est pas tenu de croire à ces attitudes, répliques, regards douloureux ou triomphants, plus qu'aux propos et manèges, chez Balzac, des convives de la pension Vauquer. Une autre séance de ce même Conseil, tenue le 26 janvier 1721, après que Law, en pleine déconfiture, eut quitté la France, Saint-Simon dit qu'il écrivit aussitôt ce qui s'y était dit et fait, « pour n'en pas perdre une exacte mémoire », et il donne ce texte, tel quel. Tout y est, sauf la vie qu'il retrouvait et recréait quand il fabulait en liberté.

Bien plus créateur qu'observateur, faux témoin que témoin fidèle, Saint-Simon fut écrivain plus qu'il n'aurait voulu, c'est-à-dire cédant au plaisir d'écrire, et d'en rajouter, mémorialiste de génie, et le plus souvent des autres, non de lui-même. Si la Cour de Louis XIV n'est pas morte, c'est parce qu'il l'a réinventée à sa guise et que nous pouvons rêver sur l'image déformée qu'il en donne. Il n'y a que la création qui perpétue et nourrisse, et l'objectivité érudite, c'est la mort. Il est vrai que, subjective et passionnée, l'œuvre de Saint-Simon est pour cela un document historique, témoignage d'un état d'esprit, qui éclaire une époque. De même les romans de Balzac sont un document et un témoignage, mais qui nous intéressent parce que Balzac y a mis partout sa marque. « Je ne me pique pas d'impartialité, je le ferais vainement », écrit Saint-Simon. Dieu merci.

« La Vérité, dit-il, fait l'âme de ces *Mémoires* », et il dit vrai, mais il faut l'entendre de ce qu'il tenait, dans sa passion, pour la vérité. Ceux qu'il aime, Beauvillier, le duc de Bourgogne, ou qu'il déteste, Mme de Maintenon, le duc du Maine, bâtard chéri du Roi, on peut les voir très différemment. Vendôme ne se relèvera jamais du portrait abject qu'il en donne, et voici une autre évocation, tout opposée, qu'on trouve dans les *Mémoires* du chevalier de Quincy : « M. de Vendôme passa à cheval. L'on portait devant lui les drapeaux qu'il avait pris aux ennemis; ils étaient tout ensanglantés. Il avait son habit et sa veste déboutonnés, le visage tout en sueur, sa chemise remplie de tabac et de poussière. Il avait l'air du dieu Mars... » Saint-Simon en fait un silène obscène, « coulant les jours sur sa chaise percée », mais inoubliable : il le haïssait. Narrateur toujours partial, donc, et amer, car toutes les « machines » et « combinaisons de machines » qu'il avait échafaudées à la Cour avaient fait long feu, double raison pour que ses *Mémoires* relèvent davantage de la poésie que de l'histoire, ou plutôt soient l'histoire à travers la poésie, la seule, après tout, qui défie les siècles.

*

Je sais bien qu'il fit grand usage des papiers de Torcy, qu'il avait d'abord détesté mais dont il découvrit les mérites sous la Régence, au point de devenir « son ami intime », ainsi qu'il le relate dans une *Addition* à Dangeau. Ce qu'on appelle les *Mémoires* de Torcy, il lui arriva de les démarquer pendant des pages, tantôt résumant, tantôt développant, tantôt copiant jusqu'à, dit-il, « n'en pas omettre un mot », persuadé qu'il écrivait ainsi l'histoire de son temps avec les « meilleures pièces originales qu'il soit possible de ramasser ».

Il s'agissait de notes, documents, extraits de lettres

copiées à la poste dans les bureaux du secrétaire d'État Torcy, neveu de Colbert [1]. Depuis Louvois, on ouvrait systématiquement les lettres, celles même de la belle-sœur du Roi, la duchesse d'Orléans, qui fut tancée pour ce qu'elle y avait dit : « Toutes les lettres sont ouvertes, je le sais bien, mais je m'en moque, et n'en écris pas moins tout ce qui me passe par la tête. » Cependant le Cabinet noir, et les documents diplomatiques, étaient sans génie, et sans génie les pages que Saint-Simon leur emprunte. Avec les interminables digressions sur les Rohan, les Bouillon, et quelques autres familles où les nobles alliances et les individus sans intérêt, affublés d'un grand titre, pullulaient, c'est la seule partie morne et morte des *Mémoires*, où ce n'est plus lui qui parle, où il n'invente plus. La Cour d'Espagne, dont il prétend pouvoir livrer ainsi les secrets, il y était passé cependant, mais en visiteur désintéressé, sauf à y récolter quelques honneurs qu'il prisait très haut. Cette rage qu'il avait longtemps savourée à Versailles, d'être incompris, méconnu, écarté, d'y assister au dépérissement de la monarchie, comme cette nuée d'informateurs et de bavards dont il recueillait avec délices les dires incertains, lui manquaient à Madrid et dans les résidences du roi d'Espagne, à Balsaïn, à Saint-Ildefonse. Aussi le tableau trop long qu'il fait de la Cour d'Espagne, et de tous les méandres de sa politique que lui ont révélés les papiers de Torcy, est-il une grisaille, sauf quelques portraits parmi les meilleurs, et quelques traits de feu. Pour la Cour de France, dira-t-on, il usa d'une autre source d'une valeur historique pareillement

---

1. Émile Bourgeois, « La collaboration de Saint-Simon et de Torcy », *Revue historique*, 1905, t. LXXXVII, p. 251-277.

incontestable, et qu'il suivit de près sans dommage : Dangeau.

C'était, dit-il, « une espèce de personnage en détrempe », sans caractère propre, adorateur et imitateur du Roi, mais dont le *Journal* où tout est noté de la vie de la Cour offrit à Saint-Simon le canevas indispensable, une chronologie si commode pour se souvenir, voire fabuler à son aise (quand elle manque, comme pour l'évocation de la fin de Port-Royal, Saint-Simon brouille les dates et les noms), mais qui surtout lui donna une occasion toujours renouvelée de s'indigner, qui favorise si bien le goût et le don d'écrire. Dangeau « écrivait depuis plus de trente ans tous les soirs jusqu'aux plus fades nouvelles de la journée. Il les dictait toutes sèches... La fadeur et l'adulation de ses mémoires sont encore plus dégoûtantes que leur sécheresse... La fadeur et l'esprit courtisan de l'auteur... Sa fadeur et sa politique... ». Saint-Simon en revient toujours aux mêmes mots. Le personnage, les nouvelles qu'il collectionnait, sa manière et son exactitude à les rapporter, les sentiments dont il témoignait à l'occasion, tout était sans saveur, et nous savons ce qu'était *le sel* que goûtait Saint-Simon : retrait, critique, dérision. L'abbé de Choisy dans ses *Mémoires* ne parle guère différemment de Dangeau, souci des convenances et du bon ton en plus : « Le *Journal* de M. de Dangeau me servira de guide assuré, tout est vrai », mais « la grande sagesse et la grande circonspection de l'auteur l'ont empêché d'y mettre beaucoup de faits curieux, parce qu'il aurait pu fâcher, et qu'il n'a jamais voulu fâcher personne... » Mme de Maintenon le définissait aussi comme « un homme qui ne veut rien blâmer ». Choisy n'en conclut pas moins : « Il a tout su et tout vu, et de ses propres yeux. »

Dangeau, dit au contraire Saint-Simon, est en mille endroits « de l'ignorance la plus crasse », et notamment « peu instruit sur les pairies », ce qui est impardonnable. Bien que « si avant et si mêlé dans la Cour, c'est-à-dire dans le gros de la Cour », il n'avait « jamais été de rien », et il lui manquait irrémédiablement de n'avoir pas pénétré « dans les cabinets et dans les secrets des intrigues et des affaires ». Dangeau était à côté de la réalité, qui à la Cour comme ailleurs est au-delà des apparences : on ne la découvrait à Versailles qu'en accédant à ces noirs réduits dont j'ai parlé pour commencer, le « souterrain », dit Saint-Simon, devançant Dostoïevski. Ce qui apparaissait alors? « De la haine, de la jalousie, de la rage, du mépris, au lieu de toutes les belles choses qu'on met au-dessus du panier, et qui passent pour des vérités, écrivit Mme de Sévigné; je souhaitais un cabinet tout tapissé de dessous de cartes au lieu de tableaux. » Pour évoquer Louis XIV comme il convient, dit Saint-Simon, il fallait « voir le Roi à revers », du côté de l'ombre. « L'affaire de Mme des Ursins, note-t-il encore, s'avançait dans les ténèbres », ou, parlant de lui-même : « Où que ce fût dans la suite, Fontainebleau, Versailles, Marly, j'entrais toujours à la dérobée par la garde-robe. » Il y a la crête des vagues, qui scintille et fait illusion, et les bas-fonds où circulent et se battent silencieusement les monstres froids de l'ambition politique. Dangeau n'avait jamais quitté la surface, les cérémonies et les fastes de la Cour.

Au reste, ajoute Saint-Simon, sa noblesse était « fort courte », et si son visage était agréable, il était, on s'en doute, « d'une fadeur à faire vomir ». M. Hébert, curé de Versailles de 1686 à 1704, dit aussi que si Dangeau était « né gentilhomme », certains en doutaient, et qu'il fut « un des plus adroits courtisans de son temps, qui avait autant d'ambition pour s'élever qu'il avait de bonheur au jeu ». Comme Chamillart par le billard, Dangeau avait « pointé » par les cartes. « Il ne songe qu'à son affaire, et gagne où les autres perdent; il ne néglige rien, il profite de tout, il n'est point distrait : en un mot, sa bonne conduite défie sa fortune » (Mme de Sévigné). « Les mœurs étaient telles dans la jeunesse de Dangeau, remarque Sainte-Beuve, que tous ceux qui ont parlé de lui et qui ont relevé son adresse et son bonheur, l'ont presque loué de n'avoir pas triché et volé au jeu. » Une pièce satirique qui l'évoquait en 1708 était intitulée : *Le Bourgeois gentilhomme en costume de mamamouchi*. C'est à lui cependant que Boileau, sans l'ombre peut-être d'une ironie, avait dédié sa cinquième *Satire*, sur la noblesse, où il le dit « issu d'un sang fécond en demi-dieux » :

La noblesse, Dangeau, n'est pas une chimère...

La Bruyère, sous le nom de Pamphile, avait au contraire raillé ses chimériques prétentions. Homme de bonne compagnie, gracieux, « fort honnête homme », reconnaît Saint-Simon, et « bon homme », quoique « frivole », il était à la fois si adulateur des gens en place et « si bouffi d'orgueil et de fadaises qu'on ne pouvait s'empêcher d'en rire », et en même temps, « louant tout, approuvant tout, craignant tout », en résumé « très pitoyablement glorieux et tout à la fois valet ». Mme de Montespan l'appelait : « le valet de carreau », ce qui était d'un même trait rappeler l'origine de sa fortune à la Cour. De même le Père de La Chaise, confesseur indulgent du Roi, était pour Mme de Montespan « une chaise de commodité » : nous devinons ainsi ce qu'était le « tour unique des Mortemart ». En marge des réflexions et louanges de Dangeau, lors de la mort de Mme de Maintenon, Saint-Simon écrivit : « Voilà bien fadement, salement et puamment mentir à pleine gorge. » Voltaire sera aussi méprisant : « ... Des nouvelles à la main, écrites quelquefois par un de ses domestiques... On s'en aperçoit souvent au style, aux inutilités et aux faussetés dont ce recueil est rempli. » Ce « pauvre homme », dit Saint-Simon, se piquait de belles-lettres, rimait, et fut reçu à l'Académie française, car « il ne méprisait rien ».

Sans doute Saint-Simon avait-il ébauché ses *Mémoires*, rédigé certains récits, très longtemps avant qu'une copie du *Journal* de Dangeau tombât entre ses mains. Mais alors seulement lui fut donnée l'impulsion décisive : il avait rencontré, par chance, un partisan de tout ce qu'il détestait, les ministres, les bâtards du Roi, le Parlement, les faux nobles, et détestant lui-même les ducs et pairs par dépit de ne l'être pas, de plus sans personnalité et sans style, homme de lettres pour Académie, de surcroît. On discerne rarement ce qui a changé un homme ordinaire, c'est-à-dire normal, en écrivain, quelqu'un qui met sa vie dans son écriture et pour qui ce n'est plus vivre que ne pas écrire, ce qui est fou. On le sait pour Saint-Simon.

« Dans l'espèce de gazette » laissée par Dangeau, compte rendu journalier de la vie du Roi et de son entourage, « si maigre, si sec, si contraint, si précautionné, si littéral », où les jugements sont « toujours plus que mesurés », où constant est le souci de ne « désobliger personne », Dangeau n'avait rapporté des événements, parut-il à Saint-Simon, que « les écorces de la plus repoussante aridité », avec « un laconisme froid ». Il y avait là, pourtant, une foule de faits « que taisent les gazettes », des « précisions de dates, de noms et de détails », qui en font « le seul mais vrai mérite », « ouvrage précieux », il en convient, et surtout pour Saint-Simon, irritant. Sur les événements les plus curieux et significatifs, Dangeau avait glissé « comme chat sur braise », après lui tout reste à dire, on brûle de tout dire à voir le peu qu'il dit, et il faut mettre le feu à cette écorce froide, à ce bois mort. On ne peut évoquer certains épisodes du long règne de Louis XIV « sans se sentir allumé », dit Saint-Simon, et c'est ce qui n'arrive jamais à Dangeau. Ce sera la combustion qui fera le chef-d'œuvre.

Présent lui-même partout, passionné, démolisseur des grandeurs usurpées, abondant et abandonné à ses humeurs, Saint-Simon fera flamber son œuvre sur ce document sec. « Le comte de Gramont mourut à Paris la nuit dernière », note Dangeau. Réplique de Saint-Simon : « Le comte de Gramont était un vieux sacripant de cour et de monde. » Comparons le récit que fait Saint-Simon du retour en grâce de Catinat, et celui qu'en avait fait Dangeau, qu'il démarque : vivacité, reparties, tumulte d'une scène où chaque acteur se montre avec émotion dans sa vérité, Saint-Simon ajoute cette part d'affabulation et de roman qui fait de l'histoire, ainsi rendue, non une science mais un art, aussi prenant que contestable. Cette scène avait été racontée par Chamillart à Dangeau, puis consignée par celui-ci en bon greffier qu'il était, avant d'être reprise par Saint-Simon qui nous y fait assister comme s'il y était. Il ne faut pas le croire, mais il nous enchante. *Auditeur*, ai-je dit, il faut ajouter pilleur et fabulateur, et ne plus tant parler de *voyeur*.

*

Le regard à Versailles était plutôt un langage. N'oublions pas les espions, payés ou non. Quand le duc de Beauvillier veut causer sans crainte avec Saint-Simon, ils descendent à Marly « vers l'abreuvoir où tout est découvert ». Une autre fois, c'est du Mont, écuyer du Grand Dauphin, qui voudrait lui parler librement : il lui donne rendez-vous « sous les berceaux en bas de la rivière, qui était une superbe cascade en face du derrière du château, et fort éloignée de tout ». Mais se ménager des entretiens solitaires, c'est risquer d'être remarqué, et suspect. La vie de Cour est une vie de groupe, une sorte de couvent où il faut toujours subir les autres, et ces messes basses sont rarement possibles. Même confidentielles, les paroles restent, peuvent être répétées, notées, aussi dangereuses que les écrits, davantage peut-être, puisqu'on vous fait dire ce qu'on veut.

On en était donc réduit très souvent au regard, qui ne laisse aucune trace, dernière liberté dans cette servitude dorée. Pendant le dîner du Roi, « chacun, les yeux bas, ne se permettait que des œillades à la dérobée ». Parfois on préférait même détourner le regard, le cacher, tant il parle dans ce silence : « J'avalai par les yeux un délicieux trait de leur joie, et je détournai les miens des leurs, de peur de succomber à ce surcroît, et je n'osai plus les regarder. » Quand Saint-Simon parle alors de « tout le perçant » de ses yeux, il pense à ce qu'ils exprimaient, qu'il craint d'avoir trop laissé paraître.

Un regard suffisait pour tout se dire, complicité, haine, mépris, plus rarement la tendresse. « Le feu de ses regards... », dit Saint-Simon à propos du duc de Bourgogne, dont « un coup d'œil expressif » qu'il lui jetait au passage rappelait leur entente secrète, sans que nul des présents ne puisse s'en douter. Rencontrant enfin Fénelon disgracié, qu'il aimait, le duc de Bourgogne dont les propos étaient épiés, « beaucoup plus des yeux qu'il avait perçants et expressifs, lui présenta ce qui se passait dans son âme que par ses paroles... L'archevêque, qui n'avait pas les yeux moins éloquents, répondit de tout son être. » Si Saint-Simon veut exprimer à Montrevel le dégoût qu'il lui inspire, il le « regarde entre deux yeux », et passe, c'en est assez pour mettre Montrevel « hors des gonds » : les ennemis se sont compris. Lauzun, en train d'insulter Mme de Montespan au milieu de toute la Cour, mais à voix basse et paraissant causer galamment, lui présente « ses deux yeux comme deux charbons allumés ». Cette fois, le regard porte le dernier coup, arme bien ajustée à laquelle on ne se dérobe pas. Un soir que Saint-Simon est en discussion difficile avec le duc de Bourbon, il regrette, dit-il, que l'obscurité ne permît pas à son interlocuteur de « distinguer le feu de ses yeux ».

Sa « prunelle étincelante » qu'il « assenait » sur l'adversaire faisait mouche, du moins le croyait-il : « Pendant l'enregistrement je promenais mes yeux doucement de toutes parts, et, si je les contraignais avec constance, je ne pus résister à la tentation de m'en dédommager sur le premier président. Je l'accablai

donc à cent reprises, dans la séance, de mes regards
assenés et forlongés avec persévérance. L'insulte, le
mépris, le dédain, le triomphe, lui furent lancés de mes
yeux jusqu'en ses moelles... »

Regarder ainsi, se persuader que ses yeux le ven-
geaient (mais l'autre s'en souciait-il?), puis parler, en
dépit de tous les dangers et de tous les espions, dis-
courir même longuement, selon son mot « arraisonner »
les gens, et leur soumettre des écrits et des projets qui
devaient surtout rester secrets, mais où toutes les difficultés se trouvaient résolues, ce fut là agir pour Saint-
Simon, à peu près toute sa vie, ou plutôt la seule forme
d'action dont il fut capable, ou qui lui fut possible,
lui qui critiquait avec tant de véhémence les ministres
et les généraux qui eux savaient, bien ou mal, ce qu'est
agir. Trublion, si l'on veut, un peu mouche du coche,
pour en revenir aux fables et aux bêtes.

*

« Telles furent les machines, et les combinaisons de
ces machines, que mon amitié pour ceux à qui j'étais
attaché, ma haine pour Madame la Duchesse, mon
attention sur ma situation présente et future surent
découvrir, agencer, faire marcher d'un mouvement
juste et compassé avec un accord exact et une force
de levier, et que l'espace du carême commença et
perfectionna, dont je savais toutes les démarches, les
embarras, et les progrès par tous ces divers côtés qui
me répondaient, et que, tous les jours, aussi, je remon-
tais en cadence réciproque. »

« Cette puissante intrigue », ainsi qu'il la nomme,

ou encore cette « cabale puissante », à laquelle Saint-Simon consacrait tant d'ingéniosité et de soins, visait seulement à marier la fille du duc d'Orléans avec un de ses cousins, de préférence à un autre. Ceci se passait en 1710, après des hivers où la famine avait désolé Paris et la province, alors que le pays en guerre contre la moitié de l'Europe était au bord de l'effondrement. Le duc de Bourgogne écrivait au roi d'Espagne : « Si nous étions en état de continuer la guerre, nous ne penserions jamais à nous séparer de l'Espagne; mais plus on va en avant et plus on se ruine; on n'a point d'argent, ni pour payer les troupes, ni pour acheter du blé... » Une formidable partie, à la mécanique autrement complexe et où on pouvait tout perdre, se jouait au-dessus de Saint-Simon qui n'y avait aucune part, tandis qu'il montait et remontait en cadence cette minuscule pendule de boudoir dont le « fort levier » ne mettait en marche que de petits automates enrubannés, sans autre vie ni importance que les trois petits tours qu'il leur faisait faire.

*

En 1700, il avait vingt-cinq ans, mais à le lire et le voir passer à Versailles, s'en douterait-on ? Quand il alla à la Trappe avec le peintre Rigaud « faire tirer le portrait » de l'abbé de Rancé (c'est une expression du Grand Siècle, on la trouve dans Bossuet), il avait à peine franchi la vingtième année, et on est surpris qu'à cette occasion une lettre le désigne par ces mots : « Un jeune seigneur de la Cour, voisin de la Trappe... » Jeune, il semble ne l'avoir été jamais. Le Régent lui aurait dit : « Vous qui êtes immuable comme Dieu, et qui êtes d'une suite enragée... » On ne le voit en effet ni vieillir, ni changer, ni un peu fou dans sa jeunesse, ni un peu sage dans son âge mûr, tout aigreur, tout colère, tout indignation. Il en fut pour lui, au long de son existence, comme de cette promenade qu'il fit en calèche dans le parc de La Ferté, avec Desmarets, qu'il écoutait avidement : « J'ai cent fois repassé en moi-même une conversation si singulière. Elle dura toute la promenade, et effaça toute la beauté de mon parc sans que j'y prisse garde. » Le vain combat qu'il mena jusqu'au bout effaça pour lui la beauté du monde, à la lettre aveuglé. Il devait lutter « sans relâche et sans jamais tomber dans le piège de se laisser rebuter par rien ».

Il s'estimait grand seigneur-né, dont les justes privilèges étaient menacés : tout mettre en œuvre, donc, pour les maintenir, les rétablir et revenir en arrière, si l'on pouvait, au temps heureux où seuls comptaient les seigneurs. Pourtant la duchesse de Lorraine, sœur du Régent, parlait de la « bassesse de son origine », ce qui marque bien qu'ici tout est relatif et imagination, et elle regrettait la sympathie de son frère pour cet « indigne petit monsieur ». Elle parlait aussi de ses « impertinences », et de sa « folie », disant que les ducs « qui sont de naissance » ne se conduisaient pas comme lui (Lettre du 22 avril 1717). « Jamais il ne fut si mince noblesse », disait-on. « Souviens-toi de ta naissance, bourgeois poltron et punais..., disaient des chansons du temps de la Régence, petit morpion, Boudrillon... » Que son duché fût récent, et n'eût d'autre origine que le favoritisme niais de Louis XIII, ne le dérangeait en rien, ne se jugeant pas moins d'une essence qui le mettait prodigieusement à part. Le grand-père de sa femme, le financier Frémont dont j'ai déjà parlé, était fils d'un huissier, passait pour avoir été laquais, et avait commencé comme commis avant de s'enrichir dans les affaires. Rien de plus chimérique que les prétentions à la pureté du sang, dans la noblesse d'Ancien Régime : ce n'était, de génération en génération, que mélange avec la roture. Mais on voulait oublier le nom des femmes, on se hâtait d'enterrer leurs père ou grand-père.

On savait Saint-Simon, plus que tout autre, « entêté de la dignité de duc et pair », et très « vif pour les prérogatives de sa dignité, qu'il porte jusqu'à la chimère » (Note du duc d'Osuna pour la Cour d'Espagne, 1722). Un pamphlet inspiré par la duchesse du Maine, sous la Régence, dira de lui : « La vanité de ce petit duc est si folle... » La duchesse d'Orléans raconte : « J'ai une fois joliment repris un de nos ducs. Comme il se mettait à la table du Roi, devant le prince de Deux-Ponts, je dis tout haut : " D'où vient que M. le duc de Saint-Simon presse tant le prince de Deux-Ponts? a-t-il envie de le prier de prendre un de ses fils pour page? " Tout le monde se mit si fort à rire, qu'il fallut qu'il s'en allât. » L'avocat Prévot, évoquant la séance du Parlement qui marqua les débuts de la Régence, a le sentiment que Saint-Simon aurait dû être « tout étonné de se voir duc et pair », et à chacune de ses interventions, se moque de sa « petite voix ». Le ministre de Prusse à Paris mandait en 1720 au roi Frédéric-Guillaume que Saint-Simon était un homme dont l'ambition était « de faire parler de lui dans l'histoire », au demeurant « un des plus petits esprits qu'il y ait ». On écrivit à Mme de Sévigné : « La duchesse de Saint-Simon est toujours grosse, et fait voir par là qu'il n'y a rien d'impossible en ce monde. » Le bruit avait même couru que lors de la naissance de Saint-Simon, on avait constaté qu'il n'avait « point de sexe », et que « dans le doute », on l'avait jugé « plutôt fille que garçon » (Lettre de la marquise d'Huxelles au marquis de La Garde, 4 septembre 1690). Petits moyens, petite naissance, en dépit des apparences, petit homme, petite voix, petits griefs, on riait volontiers de lui, qui veut nous faire croire qu'il était redoutable et craint de tant de gens. On le tenait surtout pour insupportable. « Plus méchant que jamais », écrivit un jour le marquis de Louville.

Pontchartrain, qui était aussi de ses amis, lui demandait : « N'avez-vous point de honte de n'être jamais content de ce que pensent les autres ? Serez-vous toujours partial en toute affaire ?... Un siècle de conversation vous paraîtrait un moment étranglé si on ne finissait par être de votre avis. » Le duc de Beauvillier, autre ami, lui reprochait d'avoir « mauvaise opinion de tout le monde ». Saint-Simon ne s'en défend guère. « Vous parlez de tout avec aigreur », lui aurait dit le Roi. « Esprit passionné et ombrageux », disent les *Mémoires* de Noailles; « le pétulant Saint-Simon », dit Duclos dans ses *Mémoires secrets;* « noir venin, bile envenimée », dit Marmontel; « un homme fort sensible, et qui savait si bien aimer et haïr », ainsi se définit-il lui-même.

Un écrit anonyme publié par Boislisle et relatif à l'évêque de Beauvais, frère cadet du duc de Beauvillier et qui avait mal tourné, scandale dont Saint-

Simon s'était occupé, parle de la passion que mit celui-ci dans cette affaire, de ses « importunités » auprès du Régent, et d'une lettre qu'il dicta où « l'amertume et le fiel n'étaient pas épargnés ». Jugement du marquis d'Argenson dans ses *Mémoires* : « Voyez un peu quel caractère odieux, injuste et anthropophage de ce petit dévot sans génie, plein d'amour-propre et ne servant d'ailleurs aucunement à la guerre. »

Ici encore, tout serait à peser. Il servit peu à la guerre, en effet, sous le prétexte de quelque injustice, mais surtout parce que tout ce qui le passionnait en ce monde était à la Cour, « toujours à la Cour, de toute ma vie », dit-il. Petit dévot, c'est une autre clef du personnage, qui ouvre la porte sur un autre monde, qui le mettait à part dans cette Cour, et le duc d'Orléans lui reprochait amicalement d'être « austère » : j'y reviendrai. Injuste et anthropophage ? Peu indulgent, peu équitable, pour « la foule des courtisans », dont l'esprit était généralement « au-dessous du médiocre », tel celui de Louis XIV lui-même, et sous son règne « la naissance et le mérite étaient des exclusions certaines », Saint-Simon n'en doutait pas, à voir qu'on ne songeait sérieusement à lui pour rien. « Le plus grand nombre, dit-il, c'est-à-dire les sots. » Or jusqu'à la Régence, il était perdu dans ce grand nombre, et rien qu'un grand nom dont il était très fier, mais inutile, un oisif, furieux de l'être, conduisant ou se donnant l'illusion de conduire des entreprises qui tournaient mal. « On travaille dans ce monde la tête dans un sac », écrira-t-il. Et aussi : « J'agissais donc ainsi par les fentes, ne pouvant mieux. » Il cherchait au moins à savoir :

« Mes ténèbres me font enrager... J'attrape des faits secs et crus à travers les fentes des portes, et j'en demeure là en pétillant. » Avec cela, discret « d'une discrétion à toute épreuve », dit Louville dans une lettre à Beauvillier. Car s'il voulait savoir, ce n'était pas pour répéter, comme tant d'autres, mais pour dresser des plans d'avenir, dans le secret : le Roi ne vivrait pas toujours. Le duc de Bourgogne, qu'il avait eu tant de mal à approcher, et dont la confiance lui faisait savourer les « riches avant-goûts de la plus solide espérance, et la plus radieuse », la mort le prendra presque tout de suite : « J'y ai tout perdu », dit-il, alors que l'attendait « la plus grande et la plus certaine fortune ».

Quand disparaît Louis XIV, Saint-Simon sent renaître un espoir proche, cette fois, de l'ivresse. Il devient enfin « un personnage ». Ami depuis toujours du duc d'Orléans, « de toutes les heures et de tous les moments..., si l'on excepte ceux de la débauche », il travaille maintenant avec lui seul à seul, aidant le Régent à triompher du duc du Maine, et à écarter ceux qui comptaient, à la faveur d'un changement de règne, s'emparer de l'État. Leur humiliation fut pour Saint-Simon le temps du succès et de la vengeance, pénétré alors « de tout ce que la joie peut imprimer de plus sensible et de plus vif, du trouble le plus charmant, d'une jouissance la plus démesurément et la plus persévéramment souhaitée ». Ce moment de volupté fut court, cette victoire sans fruits. « Ce petit boudrillon voulait qu'on fît le procès de M. le duc du Maine, prétend d'Argenson dans ses *Mémoires*, qu'on lui fît couper la tête, et le duc de Saint-Simon devait avoir la grande maîtrise de l'Artillerie », dépouille du duc du Maine. Il n'obtint rien de tel, seulement le remboursement de quelques dettes, et vit très vite le pouvoir passer dans les mains d'un Premier ministre détestable qui avait « tout envahi ».

Il fallut encore plier devant cet homme, « un drôle de cette lie du peuple ». Saint-Simon dit avoir découvert que l'abbé Dubois, bientôt cardinal, n'avait cherché qu'à « le ruiner et le perdre ». Leurs relations avaient été, à certaines époques, excellentes [1]. « La grâce de la diction y est jointe à la force des raisons, à la majesté du style... Je vous félicite de cet ouvrage achevé comme du plus utile et du mieux écrit de la Régence », c'est ainsi que Saint-Simon approuvait un manifeste composé par Dubois pour les affaires d'Espagne. Pour y réussir son ambassade extraordinaire, qui le fera Grand d'Espagne, car lui non plus « ne méprisait rien », Saint-Simon se mit « à plat ventre » devant Dubois, dit Édouard Drumont, qui exagère à peine. « Toute mon habileté ne peut être infusée que de la vôtre qui est féconde en miracles, écrivait-il au cardinal-ministre. Une grande exactitude à vos ordres fera toute ma conduite... Vos bontés ingénieuses en tout ont su me frayer ici un chemin de roses... Que dire de nouveau à Votre Éminence. Je ne puis être plus entièrement à elle. Rien de nouveau ne peut plus entrer dans mon cœur, car rien aussi n'en peut plus jamais sortir. C'est l'état où m'ont mis pour le reste de ma vie les bontés sans nombre de Votre Éminence. »

Il devait dire cependant, et à propos justement de

---

1. A. Chéruel, « Saint-Simon et l'abbé Dubois », *Revue historique*, 1876, t. I, p. 140-153.

Dubois, qu'il avait « conservé chèrement toute sa vie son pucelage entier sur les bassesses ». Il est vrai que dans le style épistolaire du temps les hyperboles étaient de rigueur. « Il est des métaphores comme des femmes, c'est un mal nécessaire », disait le Père Garasse. Je pris le parti, dit Saint-Simon, d'écrire « au cardinal Dubois un verbiage où je me répandis avec profusion en reconnaissance ». Admettons que c'était sans importance. Il revint d'Espagne endetté à jamais, tenu, autant qu'avant, à l'écart des affaires sérieuses, et n'aura d'autre consolation que de répéter, page après page, que Dubois était une ordure. On a prétendu qu'il avait son portrait au-dessus de sa chaise percée. Dès lors, « la conviction de mon inutilité parfaite me retira de plus en plus ».

Dubois meurt, et voici que le duc d'Orléans semble revenir à Saint-Simon. « Le duc d'Orléans parut bientôt consolé de la mort du cardinal », lit-on dans les *Mémoires* de Villars. « Nous rîmes de sa mort comme de son ministère », dit Voltaire. « Je retrouve et revois M. le duc d'Orléans comme auparavant », écrit Saint-Simon. Le Régent est foudroyé à son tour, catastrophe cette fois irrémédiable. « Tout me rompait aux mains », dit Saint-Simon. Il ne lui restait plus qu'à vivre « pour lui-même », ou plutôt « dans la situation d'un homme mort au monde », persuadé que les ruines de ce qui fut sa vie annoncent celle de la monarchie.

*

« Comme les rangs, les honneurs et les distinctions sont peu à peu tombés au pillage en France, ainsi ont fait les noms, les armes, les maisons : s'ente qui

veut et qui peut. » Ce pourrait être le signe que tout
va finir. Les faux nobles déjà sortaient de partout,
et les trois quarts de ceux qui prétendaient former la
noblesse du pays « auraient eu grand peine à prouver
la leur », remarque Saint-Simon. La famille d'Aubigné, celle de Mme de Maintenon, épouse du Roi,
était dans ce cas. On disait volontiers : « L'illustre
M. de Racine. » Le pieux Janséniste, M. de Sacy,
dont l'*Entretien* avec Pascal est célèbre, s'appelait Isaac
Le Maître, et son nom n'était que l'anagramme de
son prénom. Un certain Le Hacquais se faisait appeler
« par corruption » M. des Aguets. La fille de Bussy-
Rabutin épousa clandestinement M. de la Rivière :
il aurait été fils d'un paysan, nommé Rivier. D'où
un procès, qu'il gagna. Voilà des apparences de
noblesse dont on ne doute plus, si quelques générations
passent. On ajoutait une particule à un nom bourgeois,
on détachait par une apostrophe le D qui, par chance,
commençait votre nom, on prenait celui d'une ferme,
d'un moulin, d'un ruisseau, un petit fief qu'on achetait
« servait pour toute la famille », on finissait par se
trouver un blason. Toutes les armes *parlantes* sont
suspectes, tardives, et inventées. « Qui n'a pas ses
armes aujourd'hui ? demande Saint-Simon... Qui veut
se faire annoncer marquis ou comte le devient aussitôt
pour tout le monde, qui en rit, mais qui l'y appelle,
sans autre droit ni titre que l'impudence de se l'être
donné à soi-même... En Espagne comme en France,
tout est plein de marquis et de comtes, les uns de
qualité, grande ou moindre, les autres, canailles ou
peu s'en faut. » Le baron de Beauvais, lit-on dans
une *Addition* à Dangeau, « aussi peu baron que le
baron de Breteuil... ».

Le frère du ministre Chamillart se changea lui-même en comte de Chamillart, et son gendre, M. Dreux, « devint M. le marquis de Dreux », quoique sa mère fût née Bodinet. Il faut dire que Dreux était marquis de Brézé, ce que Saint-Simon oublie, mais cela ne couvre pas le truquage : « Jusqu'à Chamillart, relève Saint-Simon, on avait vu les fils et les frères des ministres se marquiser par des noms de terre, et plusieurs gens ajouter le *de* à leurs noms... », tandis que Dreux et Chamillart anoblirent de leur propre chef « leur nom bourgeois de famille », et ce « même abus passa tôt aux provinces... Les présidents à mortier des parlements marquisèrent et comtisèrent par leur nom de famille leurs frères, et à ce titre unique d'être frères d'un président à mortier ». La mère de l'abbé de Choisy, arrière-petite-fille du chancelier de L'Hospital, disait à son fils, encore enfant : « Vous n'êtes qu'un bourgeois. Apprenez de moi qu'en France on ne reconnaît de noblesse que d'épée. » Cette douteuse noblesse issue des parlements prospéra cependant, a fait souche, et nombreuse, et les prétentions aristocratiques de ses descendants actuels amuseraient Saint-Simon. Mme de Sévigné parle aussi de ces « grands noms » dont s'affublent de « petits sujets ». Primi Visconti confirme que le Paris du XVIIe siècle abondait en marquis ayant reçu « l'investiture de leurs laquais » : l'entourage suivait, l'habitude prise. Le titre de marquis, observe Mme de Sévigné, était tellement « déshonoré », « profané », « gâté », que certains qui auraient dû le porter, ne l'osaient. Le marquis de Dangeau, qui sera si utile à Saint-Simon, n'était nullement marquis : « titre de courtoisie », disait-on, comme on s'en attribue encore aujourd'hui. Dès cette époque, cela n'intéressait que la sottise humaine et « ne menait pas loin », Saint-Simon n'en prend guère ombrage. Cette noblesse de fantaisie, qui singeait la bonne, n'en disait-elle pas le prix, sans tromper personne ? Elle n'était pas un danger, pour une société fondée sur la naissance, seulement la marque d'une fissure, un avertissement, un léger désordre qui pouvait en préparer d'autres.

Très différente, et autrement pernicieuse, la bâtardise, admise, reconnue, bientôt honorée, élevée enfin au même niveau que la naissance légitime. Enfants naturels du Roi, nés d'un « double adultère », le duc du Maine était colonel général des Suisses et Grisons à quatre ans, le comte de Toulouse était amiral de France à cinq ans : ce ne sont pas ces âges qui indignent Saint-Simon, c'est le passe-droit d'une filiation illégitime. La légitimation des bâtards était une pratique depuis longtemps admise, ceux des souverains comme des particuliers. Saint-Simon ne l'admet pas. Les usurpations des bâtards de Louis XIV, dit-il, « renversèrent tout et défigurèrent tout », et comme Louis XIV fut imité par bien d'autres, dont les enfants naturels et reconnus venaient se montrer à Paris, cette ville devint « l'égout des voluptés de l'Europe », où osaient paraître « jusqu'aux plus infâmes fruits des plus monstrueux incestes ».

Joie, pleurs de joie, le jour où Saint-Simon put croire les bâtards du feu Roi déchus de leurs scandaleuses grandeurs : « Moi, cependant, je me mourais de joie. » C'était, sans doute, parce que ces bâtards royaux avaient jusque-là, injustement à son gré, précédé dans les cérémonies à un rang « intermédiaire » les ducs et pairs dont il était. Il y avait plus. L'hérédité bafouée, chacun se donnant les héritiers qu'il voulait, c'était la licence et le bon plaisir introduits dans un domaine où des règles strictes devaient être sauvées, qui étaient la base de l'ordre social. La structure, la stabilité, l'essence même de la monarchie, comme toute la hiérarchie dont elle était le couronnement, étaient menacées par les bâtards.

*

La monarchie française reposait sur l'hérédité, mode de transmission du pouvoir politique qui avait fait ses preuves, incontestable, d'une simplicité merveilleuse, historiquement explicable, et logiquement aberrant. Imaginerait-on que le fils, le petit-fils, l'arrière-petit-fils d'un général devraient l'être à leur tour, et ainsi à perpétuité ? Ce qu'on n'admettrait pas pour une armée, et pour beaucoup moins dans n'importe quel domaine, comment le trouver raisonnable pour un royaume. « Le Roi est Roi de naissance », avait appris de son précepteur le jeune Saint-Simon, alors Vidame de Chartres. « Cette loi est regardée comme l'ouvrage de Celui qui a établi toutes les monarchies, écrivait Torcy en 1712, et nous sommes persuadés en France que Dieu seul la peut abolir. » C'est ce qu'on verra. Les *Nuées*, dont parlait si volontiers Maurras à propos du système inverse, elles sont ici. « On ne choisit pas pour gouverner un vaisseau celui des voyageurs qui est de meilleure maison », disait déjà Pascal. On peut songer, comme l'a fait Saint-Simon, au roi « pernicieux » qu'aurait été le fils de Louis XIV, Monseigneur, mort avant son heure, « dont tout le mérite

était dans la naissance, et tout le poids dans son corps »,
de tout temps « en proie aux plus grossières impulsions
d'autrui », et qui passait le sien à chasser le loup. Cet
homme, dit Saint-Simon, qui avait les yeux « toujours
si morts ». On aurait eu pour maître présumé quelqu'un qui ne savait rien, et n'avait jamais rien compris,
ne pouvait rien comprendre.

L'absurdité du système monarchique se trouvait cor-
rigée dans la pratique. Une fiction qui ne manquait
pas de poésie voulait que l'aîné d'une famille, de père
en fils ou d'oncle à neveu, fût le mieux qualifié pour
commander à des millions d'hommes, mais dans la
réalité, avec quelques exceptions aussi éclatantes que
rares, d'autres prenaient pour lui, à tout le moins lui
suggéraient, les décisions qu'il croyait prendre. « Il est
rare, note Saint-Simon dans une *Addition* à Dangeau,
que princes et princesses ne soient gouvernés par quelqu'un. » Et ailleurs : « Les rois sont dupes autant que
les autres hommes, et d'ordinaire beaucoup plus. » Ou
encore, à propos de Louis XIV : « Le Roi, dont la
vérité n'approcha jamais, dans la clôture où il s'était
emprisonné lui-même,... petit, gouverné, en se piquant
de tout le contraire. » Saint-Simon s'adresse à lui dans
la *Lettre anonyme* qu'on lui attribue : « En vain croyez-
vous, Sire, gouverner par vous-même et entrer vous-
même dans les détails; avouez-le-vous à vous-même... »
Il n'a pas été, écrit le marquis de La Fare, « moins
gouverné que les autres; mais il a mieux aimé l'être
par plusieurs que par un seul ». « Il est loin de connaître
jamais la vérité », écrivait Mme de Sévigné à Pomponne. « Un roi inaccessible aux hommes l'est aussi à
la vérité », constatait Fénelon dans son *Télémaque*.
Accessible, s'entourant de conseillers, il voit la vérité

86

à travers eux, leur vérité, et si le duc de Bourgogne avait régné, il n'aurait connu que la vérité de Fénelon et de ses disciples. En disant que le règne de Louis XIV fut « si peu le sien, si continuellement et successivement celui de quelques autres », Saint-Simon exagère sans doute, mais il est sûr que l'entourage du Roi avait mille façons de le mener avec souplesse, à la condition qu'il crût avoir le dernier mot. On accommodait les faits selon le résultat à obtenir, et la décision du prince était prévisible, à l'avance presque acquise, puisqu'on connaissait ses goûts, ses idées, ses faiblesses et ses qualités. « Il croyait toujours apprendre quelque chose à ceux qui en ces genres-là en savaient le plus, qui de leur part recevaient en novices des leçons qu'ils savaient par cœur il y avait longtemps. »

Comme sous tous les régimes, c'étaient les plus ambitieux qui à force d'entregent accédaient au pouvoir, et conseillaient, voire gouvernaient le Roi, et comme leur ambition était souvent légitime, je veux dire qu'ils ne manquaient pas de qualités, ce qui est le fait de nombre d'ambitieux sous tous les régimes, il arrivait qu'on eût de grands ministres et de grands règnes. Les circonstances économiques et de population, la géographie et l'état de l'Europe, faisaient le reste. Au XVIIe siècle, le système monarchique vit la puissance longtemps irrésistible de la France, et la décadence de l'Espagne : il est vraisemblable qu'il en eût été de même, ici et là, monarchie ou pas.

Il n'en demeure pas moins que le Roi était la clef de voûte du système, par pur droit de naissance, et tout devait crouler si ce principe de l'hérédité ne restait pas sauf et inattaquable, et pas seulement dans la famille du Roi, car tout se tient : le moindre trouble dans l'ordre des successions mettait en cause, pour Saint-Simon, « le repos et la sûreté de la maison régnante et de toute la société ». Les privilèges de la naissance, à tous les niveaux de l'échelle sociale, s'ils étaient battus en brèche ou simplement méconnus, cela ne pouvait que laisser présager, sans doute possible, « la fin et la dissolution prochaine de cette monarchie ».

C'est ainsi qu'il faut comprendre cette obsession du rang et des dignités qu'on s'accorde à trouver si ridicule chez Saint-Simon. « Les intérêts les plus vitaux de l'État, qui repose sur les droits des ducs... », peut-on lire dans le *Pastiche* que Proust a fait des *Mémoires*. « Ducomanie » et « manie des rangs », disait Stendhal : « Il voulait la considération. Son instrument était un duché. » Louis XIV reprochait lui-même à Saint-Simon de n'être occupé qu'à « étudier les rangs », et Saint-Simon n'était pas surpris de ce reproche, le Roi ayant été à l'école du « détestable Mazarin », qui l'avait habitué à « tout confondre ».

Il y avait eu jadis le règne admirable de Louis XIII, qui n'ignorait rien de ce qui était dû aux véritables seigneurs, d'où le déchirement de Saint-Simon quand il évoque ce roi : « Mon cœur se fond, ma plume se brise... » Sous le règne de Louis le Juste, « rien que d'exact, que de vrai, que de légitime, n'y était donné à personne » : à chacun selon sa naissance, c'était un principe sacré, fondement de la monarchie. Vint cet homme sorti de la « lie du peuple », « un obscur Italien », qui avait « dévasté » la France. Mazarin avait entrepris, aux dépens de la noblesse qu'il ne pouvait souffrir, d'instaurer le « règne des gens de rien », afin que « tout soit peuple ». Cette entreprise funeste fut poursuivie sous Louis XIV, et on en verra les effets encore au sacre de Louis XV où « le désordre fut inexprimable », et la noblesse effacée « par la robe, et jusque par ce qui est au-dessous de la robe ». A ce moment-là aussi, un Premier ministre issu de rien, Dubois, gouvernera tout, résolu à « tout confondre et tout anéantir ». Voilà comment on détruit un royaume, qui avait été si beau. La vie de Saint-Simon ne pourra s'achever que dans le désespoir, à raconter les étapes de cette destruction pour qu'un jour, au moins, la vérité paraisse.

L'Ordre du Saint-Esprit fut prostitué quand Louis XIV le donna à tous les maréchaux, parmi lesquels il pouvait s'en trouver de modeste origine, alors que « c'est pour la naissance que cet Ordre a été institué ». Le marquis de la Salle, maître de la Garde-Robe, fut fait chevalier de l'Ordre, dont le grand-père, « gros marchand de bois et riche, avait commencé par faire des sabots dans la forêt de Senonches », du moins Saint-Simon en est-il persuadé et scandalisé. Même scandale, quand Villars fut fait duc et pair : « Ce pied-plat de Villars, sorti du Greffe de Condrieu, devenu duc héréditaire », Saint-Simon en fut « malade de honte et de dépit ». Déjà lorsqu'à la mort de Mazarin, Louis XIV avait prétendu gouverner « par lui-même », on avait bientôt constaté que s'il consultait encore Turenne, qui avait « une grande part dans les affaires », le conseil du Roi n'était plus composé que de trois ministres d'État, Le Tellier, Colbert et Lionne, et on s'était étonné que « trois bourgeois eussent la principale part dans le gouvernement de l'État » (Hugues de Lionne était de toute petite noblesse). Ce n'était qu'un début.

Quelque trente ans plus tard, arrivant à la Cour, Saint-Simon vit avec douleur parmi les ministres un seul homme de bonne souche, Beauvillier, tous les autres « gens de rien, qui ne savaient pas ce que c'est que l'État », « tirés de la poussière », et qu'il aurait fallu « tenir bas », et réduire à être « vraiment ministres, c'est-à-dire exécuteurs ». Saint-Simon écrira au Régent : « J'avoue, Monseigneur, que j'ai besoin de me faire violence pour me retenir sur la situation cruelle où le dernier gouvernement a réduit l'ordre duquel je tire mon être et mon honneur... L'autorité des gens de plume et de finance ne s'est appesantie sur nul autre ordre à l'égal du nôtre. » Pour détruire les privilèges de la noblesse, qui en était réduite à végéter à Versailles, la robe unie à la plume « ose tout, usurpe tout, et domine tout », les ministres bourgeois ayant pris la place de ceux « qui étaient tout d'origine et d'essence » et incontestablement « nés pour commander aux autres ». Louis XIV n'avait pas vu que la légitimité de son propre pouvoir était ainsi doucement mais sûrement minée.

Ce Roi n'était à l'aise, prétend Saint-Simon, qu'avec des « gens de néant », et sa politique obstinée à l'égard des seigneurs fut de « les abaisser, de les avilir, de les confondre ». Oisifs et pauvres, ils étaient condamnés à prendre pour femmes les filles de gros bourgeois, avec dot : « les écus s'envolent, la crasse demeure », qui contribuait à rendre irrémédiable l'anéantissement de la noblesse. Louis XIV avait « une aversion de la naissance et des dignités dont il ne revint jamais », et une préférence toujours manifestée « de la robe sur l'épée, et du bourgeois sur le noble ». Redoutant les seigneurs, il s'entourait de « garçons de boutique », avec lui « l'abjecte bourgeoisie triompha », et les ministres qui en étaient issus « régnèrent en plein sous le nom du Roi ». Les revers de la fin du règne s'expliquent donc : alors qu'à Versailles gouvernaient « des gens de robe et de peu », à Londres et à Vienne « des personnes de qualité » étaient aux premières places, et il n'y était pas nécessaire de « porter rabat » pour être jugé capable.

On devine si Saint-Simon aima le duc de Bourgogne, et se promit merveille d'un règne qui n'eut pas lieu : le petit-fils de Louis XIV déplorait « l'insolence des ministres et le malheur des seigneurs », « l'anéantissement de la noblesse lui était odieux ». Saint-Simon le rencontrait « en secret par les derrières ». Le jour où il découvrit chez le roi de demain des vues si exquises, il fut dans « le ravissement ». Leur premier entretien roula sur le plus grave des sujets : le titre que, s'adressant aux ducs, les ministres devaient leur donner. « Il est difficile d'exprimer ce que je sentis en sortant d'avec le Dauphin. Un magnifique et prochain avenir s'ouvrait devant moi. » La mort en décida autrement. Avec la Régence, on put croire à une nouvelle aurore : il fut décidé de « mettre en place des gens de qualité, et de se défaire de la robe et de la plume..., de revêtir les seigneurs de toutes les dépouilles de la plume. » Alors, les gens du Parlement furent ramenés à leur état naturel et à la raison, sous les yeux mêmes de Saint-Simon : « Je savourai, avec tous les délices qu'on ne peut exprimer, le spectacle de ces fiers légistes, qui osent nous refuser le salut, prosternés à genoux, et rendre à nos pieds un hommage au trône... Mes yeux fichés, collés sur ces bourgeois superbes, parcouraient tout ce grand banc à genoux ou debout, et les amples replis de ces fourrures ondoyantes à chaque génuflexion longue et redoublée..., et ces têtes découvertes et humiliées à la hauteur de nos pieds. » Au-dessous des « seigneurs », tout le reste. Il fallait revenir à « l'ordre ancien et de tout temps », ne plus « défigurer l'État », remettre à sa place et dans son rôle « la grande, ancienne et véritable noblesse ». Dans une monarchie héréditaire, tout devait être réglé selon la naissance, de bas en haut. Sinon, pourquoi un roi ?

*

Le parti pris de Louis XIV, ou de ceux qui l'inspiraient (y trouvant leur compte), apparaît en revanche singulièrement *moderne*, qui portait aux premières places dans tous les domaines même les roturiers, s'ils paraissaient capables. On a répété que Louis XIV entendait n'avoir pour ministres que des hommes venus du néant et qui y retourneraient, leur tâche faite ou disgraciés, « chassés comme des valets », dit Saint-Simon. « Ainsi périssent en bref, et souvent avec honte, écrit-il, les familles de ces ministres si puissants et si riches, qui semblent, dans leurs fortunes, les établir pour l'éternité. » Ce ne fut pas souvent le cas. La famille ou la descendance de Colbert et de Louvois, celles même de Foucquet, eurent un bel avenir, parfois éclatant, le fils de Desmarets, ministre renvoyé par Louis XIV pour ses « infidélités », devint marquis de Maillebois et maréchal de France. Saint-Simon qui eut le temps de voir cet avenir, et d'en gémir,

92

n'en tient pas moins cette explication pour décisive, avec une autre, non moins incertaine.

Louis XIV tenait rigueur à Saint-Simon d'avoir « trop d'esprit et d'instruction », de trop « raisonner ». Il fallait être « fort court d'esprit » pour lui plaire. « Le Roi ne craignait rien tant que l'esprit et l'application, répète-t-il dans une *Addition* à Dangeau, et ne craignait rien plus que ceux en qui il en croyait beaucoup; il les regardait comme des censeurs secrets et les prenait en aversion. » Louis XIV aurait donc redouté chez Saint-Simon ce qu'il écartait systématiquement, afin d'être partout, ou de se croire, le maître : l'intelligence, la capacité, la liberté de jugement.

C'est le jugement de Saint-Simon qui, en cela, n'était pas libre. Le Roi reconnaît volontiers dans ses propres *Mémoires* qu'il choisissait des ministres lui devant tout, et qui n'auraient ainsi ni la prétention ni la possibilité de gouverner à sa place. Ses ministres préférés, en effet, seront ceux qui entreront dans le jeu et sauront lui persuader que, humbles exécutants, il décidait tout. « Par cet endroit si dangereusement sensible, que ses ministres ont su manier avec tant d'art, ils se sont rendus maîtres despotiques en lui faisant accroire tout ce qu'ils ont voulu... » Même si l'on devait suivre jusque-là Saint-Simon, il n'en résulte pas que Louis XIV ait ainsi écarté le *mérite personnel*, qui est une idée à laquelle on rêvait déjà beaucoup, comme on le voit dans les *Caractères* de La Bruyère.

La servilité aveugle, l'incompétence, l'inintelligence, étaient-elles absentes chez les grands seigneurs ? A lire Saint-Simon, bien plus violent à leur égard que

La Bruyère, rien n'y était plus répandu, et l'expérience aristocratique de la Régence fut catastrophique. Existaient-elles au contraire nécessairement chez les gens de robe et à rabat? Les légistes, les intendants, voire les négociants et les financiers, avaient une autre habitude, une autre pratique, du travail, de l'administration, des dossiers, des affaires. Louis XIV prenait son bien où il le trouvait.

S'il n'avait aucun penchant à rapprocher du pouvoir Saint-Simon et ses pareils, c'est aussi qu'il se méfiait de la noblesse, si turbulente sous le précédent règne et au début du sien. Il aurait eu quelque raison de reprocher à Saint-Simon d'être « glorieux », et féodal, c'est-à-dire dépassé, et d'avoir la nostalgie d'un temps où les Grands croyaient que l'État devait être leur partage, ou plutôt partagé entre eux. Quand le maréchal d'Ancre avait été assassiné, le jeune Louis XIII avait paru à une fenêtre du Louvre, « plein de joie », raconte Arnauld d'Andilly dans son *Journal*, criant : « Courage, mes amis, je suis maintenant Roi! » Illusion : plus de trente ans encore, la noblesse avait disputé au roi son pouvoir. Louis XIV en avait tiré une leçon définitive. Il n'avait rien d'un révolutionnaire, naturellement, le tiers état devait rester ce qu'il était : un corps dénué de toute force et de toute action politique. Mais, individuellement, il ne voyait aucune raison de ne pas préférer à des aristocrates peu doués, et qui pourraient être dangereux, des gens issus de la roture, mais consciencieux, dévoués, appliqués, et dont la vie, depuis toujours, avait été consacrée à des tâches efficaces, et non aux fêtes et aux cérémonies.

On a raconté que, visitant l'avenue de Versailles,

plantée par **Mansart**, il fit couvrir celui-ci devant lui, de peur du soleil, disant : « Je puis en un quart d'heure faire vingt ducs et pairs ; il faut des siècles pour faire un Mansart », propos monstrueux pour un duc et pair. Précisément, lorsque d'Antin fut nommé directeur général des Bâtiments, succédant à Mansart qui en avait été surintendant, il parut significatif et aberrant à Saint-Simon qu'un « seigneur » se contentât des restes d'un « apprenti maçon ». Louis XIV avait longtemps préféré un maçon de talent à la superbe incompétence d'un homme bien né. Et en épousant Mme de Maintenon, veuve Scarron, il montra que la haute naissance, tout compte fait, et pour ce qui devait lui être le plus proche, il n'y tenait pas tant que cela. Dans notre langage d'aujourd'hui, le progressiste, le démocrate, c'était lui.

*

Le prophète et le voyant, c'était Saint-Simon. « Grand écrivain, mais pauvre politique... Tête étroite » (Stendhal). Avec des variantes, c'est ce qu'on répète depuis deux siècles. On a peine à le prendre au sérieux, en effet, dans les détails d'étiquette qu'il donne comme de la dernière importance : « Le Roi, toujours debout et découvert, le reçut avec toutes les grâces imaginables... Il le mena par la galerie chez Mme la duchesse de Bourgogne, qui le reçut debout, et qu'il ne salua point, à cause de la présence du Roi devant qui elle ne baise personne. Il fut ensuite chez Madame, qui s'avança au-devant de lui dans sa chambre. Elle le baisa et causa fort longtemps avec lui en allemand.

Il vit après Mme la duchesse d'Orléans dans son lit, qui le baisa. La visite fut courte... » D'une érudition ici sans défaut, connaissant tous les précédents qui faisaient la règle, c'est Saint-Simon que le duc d'Orléans fait appeler, en pleine séance du Parlement, pour lui demander s'il doit ou non se lever : « Les pairs nés et autres pairs se lèvent et saluent le Roi, se rassoient et se couvrent incontinent, sans que le Roi le leur dise, opinent assis et couverts; après avoir achevé de parler, se lèvent et saluent le Roi comme avant de commencer. Voilà comme les pairs opinent. » Il leur consacre des études minutieuses. « L'honneur de se couvrir devant le Roi aux audiences des ambassadeurs », la faculté de « se faire porter un parasol sur la tête », ou « le frappement du pied de la sentinelle » quand on passe, ou s'il faut assister aux couches royales, bien d'autres problèmes sont traités par Saint-Simon. « Quelque bagatelle que cela paraisse, dit-il, rien ne l'est dans le fond de tout ce qui est de distinction de rang. » Le titre d'un des écrits à quoi ce grand esprit passait son temps est : *Mémoire secret sur le bonnet.*

Le voici à la Cour d'Espagne : « La place du grand maître, à cette signature, était derrière le fauteuil du roi, un peu à la droite, pour laisser place au capitaine des gardes en quartier. M'y mettant, c'était prendre sa place, y intéresser le capitaine des gardes, jeté plus loin, et conséquemment ce qui devait être de suite. Celle du nonce était à côté du roi, le ventre au bras droit de son fauteuil; la prendre, c'était le repousser hors du bras du fauteuil, contre le bout de la table, et sûrement il ne l'aurait pas souffert, non plus que le majordome-major pour la sienne.

Je résolus donc d'hasarder un milieu, de tâcher de me fourrer au haut du bras droit du fauteuil, un peu en travers... » Ce protocole si précautionneux paraîtra enfantin, et risibles l'attention que Saint-Simon y porte et son art d'en jouer, comme si vraiment il y allait de tout dans cette reptation autour d'un fauteuil.

C'était vrai. Il fallait que ce fauteuil fût sacré, et ses approches l'objet de tous les calculs et de toutes les convoitises, pour qu'on y croie. Une convention admise depuis des siècles voulait qu'il suffise en France d'être né pour être roi. Jouer avec l'hérédité du trône, c'était contester ouvertement la royauté elle-même. Si n'importe qui pouvait être ministre et tout-puissant dans l'État, si la naissance n'était pas le critère et le principe de tout, on devait inévitablement se demander pourquoi la seule naissance désignait un Bourbon pour la première place. Mais ce n'est pas tout, et nous voici au fauteuil. Dans un ordre si paradoxal, où il était entendu que ni le courage, ni l'intelligence, ni le savoir, ni l'habileté, ni le sang-froid, ni même l'intérêt aux affaires publiques, ne contribuaient en rien au choix de qui devait régner sur les autres, tout de la base au sommet devait être conventions, cérémonies, mystère, crainte, aveuglement volontaire, sinon les yeux s'ouvriraient, et on verrait brusquement que le Roi était nu. Il y avait là un édifice où chaque pièce contribuait à fortifier et à conforter les autres, où rien n'était négligeable, tant était ténu, délicat et fragile le lien qui les unissait, de sorte que la moindre pierre ôtée compromettait tout, et qu'une désagrégation d'abord imperceptible pour les esprits légers devait s'étendre et ruiner enfin l'édifice.

« M. le duc d'Orléans s'arrêta à Bayonne pour voir

la reine veuve de Charles II, qui lui donna un fauteuil. M. le duc d'Orléans, qui ne l'aurait osé prétendre, se garda bien de le refuser... » Suit un long développement, et Saint-Simon note en marge : « Étranges abus nés des fauteuils de Bayonne. » Aux obsèques du prince de Conti, il y eut une aigre querelle à propos de fauteuils, et on en vint à un compromis où des banquettes rembourrées furent « réputées fauteuil » : les ducs menaçaient de sortir, on baptisa fauteuil une banquette et ils restèrent. Sommes-nous chez les fous ? Que l'Électeur de Cologne, en visite à Meudon, n'ait pas droit à « une serviette sous son couvert », alors que le Grand Dauphin avait la sienne, quel intérêt ? Mais Saint-Simon, grand défenseur de l'étiquette, voit juste : c'est préparer la fin de la monarchie que de remettre en cause la liturgie qui accompagne, colore, habille, voile, entretient, le mythe de l'hérédité monarchique.

S'asseoir en présence du Roi était toute une affaire et un droit exceptionnel, mais quand on pourra user devant lui autant qu'on voudra des « tabourets », « pliants », « sièges à bras », le trône n'en aura plus pour longtemps car le droit de s'y asseoir participe de la même convention. Chaque mois, généralement le dernier jour de la lune, Louis XIV prenait médecine, et Saint-Simon observe que le comte de Portland, ambassadeur d'Angleterre, fut reçu par le Roi « après l'avoir prise, ce qui était une distinction fort grande ». Voir le Roi sur sa chaise percée, dit-il encore, était « la plus grande entrée et la plus privilégiée ». Il n'y avait qu'un pas de la chaise percée au trône, et le jour où l'on reconnaîtra l'une pour ce qu'elle était, c'en sera fait de l'autre. On peut lire dans *L'État de la France en 1697* : « Quand les grandes dames, surtout les princesses du sang, passent dans la chambre du Roi, elles font une grande révérence au lit de Sa Majesté. » Ainsi s'incline-t-on devant un autel : si l'on passe en pensant à autre chose, c'est que la foi n'y est plus. Lorsqu'on dut opérer Louis XIV de sa fistule, nous apprend le curé de Versailles dans ses *Mémoires*, le chirurgien Félix en éprouva une telle « révolution d'humeurs » qu'il en eut un « tremblement dans le corps qui ne le quitta plus le reste de ses jours ». Cette dévotion était le vrai fondement de la monarchie qui ne lui survivra pas, aussi ne pouvait-on pas faire sa part à cette dévotion : si l'on changeait le protocole, les saluts, les costumes, les titres, les préséances, si ces rites n'étaient pas maintenus et tenus pour sacrés, on en viendrait à remettre en cause la convention fondamentale de l'État, qui était que, si peu qualifié qu'il fût, l'enfant Louis XV était destiné à avoir la haute main sur tout, seulement parce qu'il était l'arrière-petit-fils de Louis XIV. Saint-Simon dit avec sagesse de l'ordre monarchique « qu'on ne peut s'écarter tant soit peu de cet ordre, sans ne plus savoir où poser le pied ».

A la Cour d'Espagne, raconte la princesse des Ursins dans une lettre à la maréchale de Noailles, « tous les soirs, quand le roi entre chez la reine pour se coucher, le comte de Bénaventé me charge de l'épée de Sa Majesté, d'un pot de chambre, et d'une lampe, que je renverse ordinairement sur mes habits, cela est trop grotesque ». Un autre jour, elle dit qu'à l'église, pour approcher le fauteuil du roi, le comte del Priego et le duc d'Ossone se disputèrent, et cela fit « un petit combat presque au pied de l'autel ». Grotesque ? Très justement, pour un chapeau enlevé à contretemps, Saint-Simon prévoyait « la destruction du royaume ». Et quand il parle de « *la misère* d'être nommé à son coucher (celui du Roi) pour tenir le bougeoir », ou encore, s'il remarque : « Pour un chapeau présenté, tout est en furie et en vacarme : on n'oserait dire que voilà des valets », c'est qu'il faiblit un instant et il a tort : la Révolution est au bout.

Tandis que Longueville, rapporte Saint-Simon dans son *Mémoire sur les légitimés*, parce qu'on lui avait défendu « d'entrer dans le balustre du Roi », « s'en alla droit chez lui pénétré de douleur et de rage, se mit au lit malade dès le jour même, et mourut incontinent après ». Cette défense mortelle qu'il avait ressentie comme il convenait, c'était le salut de la monarchie. La chambre du Roi cessant d'être un sanctuaire, on viendra de Paris l'y chercher, et la charrette pour l'échafaud n'est pas loin. Le xviiie siècle se voulut le siècle de la raison, et abattra la monarchie. Seul Saint-Simon comprit que pour la sauver, et la société qu'elle portait avec elle, il fallait respecter le déraisonnable jusque dans l'infiniment petit. Le pouvait-on ? C'est une autre affaire.

*

Si l'on compte pour beurre Jacques II, « chassé d'Angleterre, on s'en moquait en France », dit Voltaire, et qui vivait à Saint-Germain, Louis XV qu'il n'a vu régner que de loin, et Pierre le Grand en visite à Paris qui passa seulement devant lui, Saint-Simon a connu deux rois : Louis XIV, naturellement, et

Philippe V d'Espagne qui est un bon exemple de ce que peut être, ou de ce qu'est normalement une monarchie, ce que l'histoire officielle dissimule volontiers, et qu'on peut ici toucher du doigt. La princesse des Ursins arrivant en Espagne écrivait à Torcy, parlant de Philippe V : « Le roi me témoigne déjà beaucoup de confiance. Vous m'avez fait l'honneur de m'écrire, Monsieur, de tâcher de le gouverner; je crois que j'en viendrai à bout. » Et un peu plus tard : « Si la reine doit gouverner le roi dès à présent, il faut qu'elle ait quelqu'un elle-même qui la gouverne. » Ainsi fut organisée la monarchie espagnole.

La reine, confirme Louville au même ministre, mena bientôt son mari « absolument par le nez », de telle sorte que c'était « une femme de quatorze ans » qui dirigeait « une monarchie aussi étendue que celle d'Espagne », elle-même sous la coupe de Mme des Ursins, ces « deux femmes ambitieuses » faisant tout et Philippe V débarrassé de rien faire. Quand on voit Alfred Baudrillart affirmer que cette petite reine, débarquant dans un pays qu'elle ne connaissait pas et au milieu d'intrigues dont elle n'avait pas idée, fit « preuve d'un véritable esprit politique », et si l'on se souvient que c'était une enfant de quatorze ans, on mesure la naïveté d'attribuer à un personnage couronné des décisions, des attitudes, une action, des vues, des lettres, qui lui sont dictées par ses proches : l'histoire des rois repose trop souvent sur cette fiction. « Les fautes de Philippe V... », écrit Jacques Bainville : Philippe V n'a jamais commis aucune faute, il en était bien incapable, c'était une marotte à grelots dans la main de qui savait le prendre. « Le conseil se réduisait à la princesse des Ursins, à laquelle personne n'osait s'opposer, à moins de vouloir se perdre. » Elle avait d'abord écrit au maréchal de Villeroy : « Je prie le Roi (Louis XIV) de me dire comment il faut que *je gouverne*. » Puis elle n'en fit plus qu'à sa tête. Après l'avoir suscité, on se résigna à Versailles au pouvoir sans limites de la princesse des Ursins. Puységur écrivait à Torcy : « Le roi et la reine d'Espagne sont deux prisonniers dont Mme des Ursins est la geôlière. » C'était une geôlière aimée, et dont on ne pouvait se passer.

Jamais, écrit François Combes, historien de Mme des Ursins, Philippe V, « esprit sans initiative plus encore que sans volonté, ne marqua la moindre chose de sa pensée, de son cachet propre; jamais le gouvernement, même après une longue expérience de la royauté, ne porta l'empreinte de son individualité ». Quand Saint-Simon le revit en Espagne, il ne retrouva rien du duc d'Anjou de jadis : « Il était fort courbé, rapetissé, le menton en avant, fort éloigné de sa poitrine », ses pieds « se touchaient en marchant, quoiqu'il marchât vite et les genoux à plus d'un pied l'un de l'autre ». C'était un homme « froid, silencieux, triste, sobre, touché d'aucun plaisir que de la chasse, craignant le monde », un anxieux toujours sujet à des « vapeurs d'ennui ». Il disait lui-même que « sa tête était vide, qu'elle allait tomber ». On a prétendu qu'à la fin de sa vie il se prenait pour une grenouille, et que son assiduité trop grande auprès de ses deux successives épouses, ce que Saint-Simon appelle « l'exercice conjugal », avait miné sourdement sa santé, agité qu'il était par ailleurs par une crainte continuelle du diable. Il supporta avec peine son court veuvage, « le tourment de la continence redoublait ces vapeurs fréquentes dont il était attaqué » (Marmontel). « Il ne lui faut qu'un

prie-Dieu et les cuisses d'une femme », aurait dit Alberoni, qui raconte que Philippe V se mettait à genoux
devant les saints personnages représentés sur les tapisseries de sa chambre, et les priait d'absoudre ses
péchés. « La reine avait un moyen assuré d'obtenir
du roi d'Espagne ce qu'elle voulait; le bon sire est
terriblement amateur de femmes : elle avait dans sa
chambre un lit à roulettes; si le roi ne voulait pas
faire sa volonté, elle éloignait son lit du sien; lorsqu'il
avait consenti à en passer par ce qu'elle voulait, elle
le laissait entrer dans son lit, ce qui était pour le roi
la plus grande des félicités. » Ceci provient d'une lettre
de la duchesse d'Orléans. « Les refus nocturnes exci-
taient des tempêtes, confirme Saint-Simon. La paix se
consommait la nuit suivante », et le roi en échange
acceptait tout. « Ce fut un prince fait exprès pour se
laisser enfermer et gouverner. »

Si Saint-Simon avait été seul à le dire, on pourrait
en douter. Mais le marquis de Louville connaissait de
longue date le petit-fils de Louis XIV, dont il avait
été en France le gentilhomme de la manche (c'est-
à-dire qu'il ne le quittait jamais, à lui toucher le bras),
et fut en Espagne un témoin direct. Philippe V, dit-il,
ne pouvait prendre une quelconque décision sans « un
épuisement total » : « Dieu lui a donné un esprit subal-
terne et, si je l'ose dire, subjugué, qui le fera toujours
dépendre de quelqu'un. C'est un roi qui ne règne pas,
et qui ne régnera jamais. » Ce fut, écrivit le duc de
Gramont en 1705, « un enfant de six ans, et jamais
un homme ». Lorsque Louis XIV ne permit pas à son
frère, le duc de Bourgogne, de venir le voir, le roi
d'Espagne pleura « trois heures très amèrement » (Louville à Beauvillier, 1702). Cependant « il sentait peu »,

dit Saint-Simon, et vingt ans après ne demanda aucunes nouvelles de personne de la cour de France, sauf de Mme de Beauvillier : il avait oublié tout le monde, refermé sur lui, inquiet de sa santé : « Il se tâtait toujours, il craignait toujours pour elle. » A toutes les demandes de Saint-Simon, il se tournait vers sa femme ou remettait à plus tard. « Sa religion n'était que coutume, scrupules, frayeurs, petites observances. » Jusqu'à ses lettres, le « père confesseur » les écrivait, comme elles l'avaient été par Louville, ou par la princesse des Ursins, ou par l'amant de celle-ci, d'Aubigny. « La reine et la princesse des Ursins gouvernaient non seulement l'esprit du roi, mais toutes les affaires » (*Mémoires* de Noailles). Et quand la seconde femme de Philippe V eut fait reconduire, bien gardée, jusqu'à la frontière française, la princesse des Ursins, on vit des Italiens, et Alberoni, gouverner l'Espagne puis, Alberoni chassé, ce furent la nouvelle reine et de nouveaux comparses. « Qu'est-ce que la grandeur, demandait Mme de Maintenon, quand un M. Alberoni gouverne un royaume ? » C'est l'homme dont Saint-Simon assure qu'il commença sa fortune un jour que Vendôme le reçut sur sa chaise percée, et « se torcha le cul devant lui. A cette vue, Alberoni s'écrie : *O culo di angelo!...* et courut le baiser ».

Philippe V devint à peu près fou, refusant des mois de sortir de son lit et surtout qu'on lui fît la barbe et de se laisser couper les ongles. « Quand il se levait, il aurait pu marcher sans appui, si la douleur que les ongles allongés de ses pieds lui faisaient dans sa chaussure ne l'en eût empêché, raconte Duclos dans ses *Mémoires secrets*. Avec ses ongles longs, tranchants et durs, il se déchirait en dormant, et prétendait ensuite qu'on avait profité de son sommeil pour le blesser; d'autres fois, que des scorpions étaient autour de lui, et le piquaient. Dans des moments il se croyait mort, et demandait pourquoi on ne l'enterrait pas. Il gardait pendant plusieurs jours un morne silence, et sortait souvent de cette tristesse par des fureurs, frappant, égratignant la reine, son confesseur, son médecin, et ceux qui se trouvaient auprès de lui, se mordant les bras avec des cris effrayants. On lui demandait ce qu'il sentait. " Rien, disait-il ". Et un moment après chantait ou retombait dans la rêverie. »

Il régna cependant, tenu bien en laisse, près d'un demi-siècle, mais ne fut pas descendu au Panthéon des rois de l'Escorial, dans les sous-sols de cette immense caserne où Charles Quint et Philippe II sont encore à genoux, de part et d'autre du chœur de l'église, mains jointes, tout brillants d'or. La monarchie espagnole, à l'histoire si étrange, avait besoin plus que toute autre de cet apparat, de ces cérémonies, de ce secret, de cette grandeur qui n'était pas seulement dans ses palais sombres entourés de jardins pleins d'eaux vives, et qui firent d'elle une construction baroque prodigieuse, masquant un grand vide, mais dont la poésie n'a pas fini d'enchanter ceux qui préfèrent le rêve à la réalité.

*

Le rêve de Philippe II est à l'Escorial : c'est un tableau rouge et noir du Greco où comme la gueule d'un monstre, s'ouvre la porte grouillante de l'enfer. Le rêve de Philippe V est près de Ségovie, palais rose et blanc de la Granja de Saint-Ildefonse. Il y mena Saint-Simon tandis qu'on y bâtissait, lui montra les jardins qui « s'étendaient déjà fort loin ».

« En Espagne, avec le change de la Victoire, écrivait en 1925 Montherlant, pour la bagatelle de quatre-vingt-cinq francs on peut s'acheter un Baedeker. Mais aussi, dans le mien, j'ai lu un de ces traits qui me sont une vraie fontaine d'abondance. Il s'agit justement des fontaines de la Granja, construites par un de ces rois, de loin interchangeables, auxquels on suppose toujours des humeurs dans le cou. Et ce roi, les regardant : '' Elles m'ont coûté, dit-il, trois millions, et elles m'ont amusé trois minutes... '' A la description de ce la Granja, je vois assez qu'il n'y a là-dedans que ce bâillement qui aille un peu loin. » Ou plutôt, il faut aller un peu au-delà du Baedeker, où il n'y a pas tout.

Versailles est plat, tandis qu'à la Granja les jardins s'adossent à des collines qui ferment l'horizon et d'où les eaux ruissellent en cascade. On avance dans un bruit d'eau et de ruisseaux. Le souvenir de Versailles est évident, qui restait un modèle, mais les jardins de Saint-Ildefonse ne prolongent pas de toutes parts, comme les rayons d'un soleil, une longue bâtisse monotone qui devait inspirer la crainte et le respect du trône et du roi : ils entourent, et cachent, et séparent du monde, dominée par une église, cette retraite fraîche aux bâtiments inégaux que s'était ménagée, à l'écart des déserts de l'Espagne, un roi mélancolique et resté un peu perdu. « La solitude lui en avait plu », dit Saint-Simon. Mme de Maintenon écrivait à Mme des Ursins : « Notre commerce ne serait pas fade assurément, si nous nous disions ce que nous pensons... Vous entendriez bien des blâmes sur la solitude dans laquelle vous retenez le roi catholique. » On n'y retenait pas Philippe V, il ne pouvait vivre ailleurs, et voici sa solitude, telle que se l'est faite ce petit prince français changé en roi d'Espagne, toujours si mal dans sa peau. A Versailles, géométrie, équilibre, majesté. A Saint-Ildefonse, la peur de vivre.

Des statues sont des batraciens à taille d'hommes, saisis au moment de leur métamorphose, tous formant un grand cercle, et qui se regardent. Ils ont encore une patte palmée et une tête animale, mais déjà des membres et un habit d'homme. Ils tendent leurs mains, dont l'une n'a que quatre doigts, avec désespoir et angoisse. Ce n'est plus Girardon, laissé en France, c'est Goya. Neptune est maigre et se renverse, debout sur une barque tirée par des chevaux à l'encolure tordue, dieu et bêtes ayant leurs doubles à l'envers dans l'eau immobile du bassin, au milieu de l'image des arbres, groupe désordonné, presque informe, et comme bondissant et filant dans son immobilité, non plus copie de l'Antique, mais fantômes. Ici Philippe V voulut finir ses jours en abdiquant. « Il se croyait usurpateur », dit Saint-Simon. Son dessein, disent les *Mémoires* du maréchal de Villars, était « de ne plus songer qu'à son salut ».

Il existe dans le château plusieurs de ses portraits, avec sa seconde femme Farnèse qui devait passer à Saint-Ildefonse les longues années de son veuvage, devenue infirme et presque aveugle. Philippe V est représenté âgé, un visage bonhomme et sans esprit, mais peut-être est-ce moi qui suis prévenu. La reine d'Espagne, l'orgueil, l'ambition et l'énergie même, et qui n'avait fait du roi qu'une bouchée, montre sa couronne d'un petit doigt potelé. Les peintres n'ont rien vu ou rien dit, rien suggéré, de ce que pouvaient être les pensées et les nuits, et la vie de ce couple étrange. Leur mausolée est dans l'église, où ils figurent encore en médaillon, au-dessus d'un gros coussin en bronze doré sur lequel est posée une couronne royale énorme, de même matière, et qui paraît si disproportionnée au crâne de ce chétif, venu de loin faire semblant de régner.

Saint-Simon a bien rendu dans ses *Mémoires* les jardins de Saint-Ildefonse. « Des bassins, des canaux, des pièces d'eau sans nombre, de toutes les formes; des cascades, des nappes, des effets d'eau de toutes les sortes, de la plus belle eau et de la meilleure à boire, et dans la plus prodigieuse abondance, et des jets d'eau partout en gerbe... » Mais il avait fallu, dit-il, creuser les rochers et y apporter à grand-peine une terre qui, en peu d'années, n'empêcherait pas les arbres de mourir : ils sont aujourd'hui innombrables et parfois immenses. Accoutumé « au bon goût de nos jardins amené par Le Nôtre », ainsi qu'il le dit à propos de ceux d'Aranjuez, Saint-Simon ne pardonne pas à Saint-Ildefonse une situation « ingrate » qui l'a « étonné » : il aurait souhaité des vues étendues, une terrasse, de vastes perspectives, alors qu'ici on ne voit que des arbres et des eaux qui dévalent. C'est le bout du monde, « ce qui charmait le roi d'Espagne », tandis que la reine « faisait aussi le semblant ».

Les jardins de l'Espagne ne sont pas faits pour la foule et la parade, ils sont un refuge, un secret bien clos, un miracle entourant une eau vive, comme au Paradis terrestre la Fontaine de Vie, où l'on peut étancher sa soif après tant de sierras où il n'y a que la pierre, la lumière qui éblouit, un ciel « sans cesse d'une sérénité admirable », dit Saint-Simon, mais qui oppresse. Dans ceux de Saint-Ildefonse, j'ai bu à une toute petite fontaine, dans un creux, mais qui date d'un siècle plus tard et porte gravé le nom de Ferdinand VII, ce roi déplorable que Chateaubriand contribua à remettre sur le trône. Des groupes d'étrangers parcourent ces jardins, qui ne doivent pas savoir grand-chose ni de Ferdinand VII, ni de son triste ancêtre Philippe V. Dans une lettre que lui écrivit le duc de Noailles, après un séjour à Saint-Ildefonse, il lui dit que les fées en avaient fait les jardins. « Je ne doute point que les fées n'y habitent », disait aussi Boileau de Marly, mais Marly n'est plus. Ici, elles sont restées, un peu inquiétantes comme toutes les fées, mais d'une poésie incomparable. Sur la route que suivit Saint-Simon pour venir de Madrid, chevauchant à mule à travers la montagne, et qui lui parut si effrayante, où « tout était rempli d'arbres entre les rochers, dont les branches, toutes chargées de frimas, n'étaient que les plus belles grappes et les plus brillantes », il y a maintenant une station de ski et des remonte-pentes. On voit encore des mules, et de petits ânes qui n'ont pas changé. N'a pas changé surtout, que l'on savoure à chaque pas dans ce pays, quand on s'y aventure un peu loin, ce goût de solitude, d'absolu et de mort, où Philippe V pourtant né à Versailles s'était si bien retrouvé, et qui a fait ce qu'elle était la religion de l'Espagne.

Saint-Simon aimait l'Espagne : « Je ne pus quitter l'Espagne sans avoir le cœur serré », mais non la religion de ce repaire de l'Inquisition, « abominable devant Dieu et exécrable aux hommes », ce peuple

« dominé par la superstition ». Jusqu'aux Jésuites, dit-il, « savants partout et en tout genre de sciences », qui sont « ignorants en Espagne, mais d'une ignorance à surprendre. C'est que l'Inquisition furète tout, s'alarme de tout, sévit sur tout avec la dernière attention et cruauté. Elle éteint toute instruction... » Il faut se rappeler, pour être juste, que l'Inquisition aurait brûlé quelque trente-deux mille hérétiques en Espagne, et que soixante ans après l'ambassade de Saint-Simon, elle faisait encore griller une sorcière à Séville parce qu'elle avait couché avec le diable. « L'Espagne est inondée de moines de toutes couleurs. Aucun État de l'Europe, même l'État ecclésiastique, n'en nourrit de si nombreuses légions... On les prendrait pour des fripons, qui se couvrent du manteau de la religion afin de rôder inutilement dans le monde... » (*Testament politique* du cardinal Alberoni).

A l'Escorial, Saint-Simon est accompagné par un de ces « grossiers Hiéronymites » qu'il s'amuse à mettre en fureur, grand adorateur du Pape, et pour qui « l'ignorance et la stupidité sont la première vertu ». A Tolède les moines cordeliers lui montrent les chapelles de leur église, chacune avec « ses miracles particuliers » qu'il lui fallut « essuyer ». Les Christs « en caleçons et en perruque, comme ils sont presque tous en Espagne », les Vierges au cœur percé d'une épée et dont les yeux pleurent, « les reliques romanesques », les « petit-Jésus de cire », les chapelets, les porteurs de croix, les pénitents encapuchonnés, les vieilles qui marmottent, les chapelles à miracles, les moines « si gros, si grands, si grossiers, si rogues », tout cela est à mettre pêle-mêle, pour Saint-Simon, avec les odeurs d'ail et d'huiles chaudes qu'il exècre, et ce pain qui « se colle à la muraille ». Il cite le cas du duc d'Albe, qui était pourtant « sensé et plein d'esprit », qu'une maîtresse avait abandonné, qui fit dire force messes pour qu'elle revienne, avant de faire le vœu de « demeurer au lit sans bouger, et sur le côté droit », persévérant dans cette « extravagance » jusqu'à sa mort, couché « assez malproprement entre deux draps », « tant la religion des pays de l'Inquisition est éclairée ».

C'est par ce dernier mot que Saint-Simon se trahit, malgré tout, du Siècle des Lumières. « Il était croyant comme le charbonnier », a écrit de lui le philosophe éclairé Alain. Certainement pas. Saint-Simon parle ailleurs, pour s'en moquer, de « la peur du diable », et toujours avec dérision de ces dévotions nées au siècle précédent, et suscitées par quelque visionnaire dans un couvent de province, Marie Alacoque à Paray-le-Monial, Marie d'Agreda, « béate espagnole ».

Il avait pourtant été sensible au prestige de Catherine Almayrac, dite sœur Rose, et cru en elle, au moins quelque temps. C'était une paysanne des environs de Rodez où après s'être mariée et avoir fui son mari elle avait fait déjà quelques merveilles, au point d'être portée en procession, disait-on, et placée par le curé de l'endroit sur l'autel. Voilà une religion éclairée, s'il en fut. Sœur Rose vint à Paris, tombant en extase, opérant des miracles, jetant « du sang en abondance par la bouche certains Vendredis de l'année », convertissant, lisant dans les cœurs, parlant diverses langues, prophétisant. Des hommes respectables, l'abbé Boileau, familier très influent de l'archevêque de Paris (celui-là même qui raconta que Pascal voyait un gouffre sur sa gauche, et y mettait une chaise),

M. Duguet, venu de Port-Royal, le Père de La Tour, supérieur de l'Oratoire et si célèbre en son temps, et Du Charmel, pénitent habitué de la Trappe, tenaient en vénération sœur Rose. Elle devint directrice spirituelle d'une quantité d'âmes pieuses, vivant d'ailleurs à leurs dépens, comme il convient. Ses adeptes étaient plutôt en sympathie avec Port-Royal, et très éloignés du mysticisme quiétiste de Mme Guyon : il y eut un moment rivalité entre les deux dévotes, Mme Guyon prétend que sœur Rose la qualifia de « fort mauvaise », et l'abbé Bremond croit pouvoir affirmer que sans la sœur Rose « l'affaire du quiétisme aurait pris un autre cours [1] ». Des lettres du Père Lami à Fénelon évoquent sœur Rose : « Tout son air, son visage, ses paroles ont quelque chose de hagard. » Elle aurait été hostile aux Jésuites et se serait vantée « d'aller à Rome, dit le Père Lami, pour faire condamner les idolâtries chinoises », donc les Jésuites. Sœur Rose fit plusieurs séjours à la Trappe, où l'abbé de Rancé ne voulut pas la recevoir, mais elle passa pour avoir guéri son secrétaire, M. Maisne, que nous retrouverons, « en lui faisant avaler deux verres d'huile d'olive ». Il existe deux lettres de Bossuet à ce sujet, qui ne lui paraissent guère favorables : « On fait grand bruit de ce miracle; et cette dévote en fait beaucoup dans Paris. » Expulsée enfin de divers diocèses, elle sortit de France et finit ses jours à Annecy. C'était, dit Saint-Simon, « une vieille Gasconne, ou plutôt du Languedoc, qui en avait le parler à l'excès, entre

1. Henri Bremond, « Le duel entre Bossuet et Fénelon », *La Revue de France*, 1er mai 1926, p. 149 à 171. Article suivi d'une polémique entre le Père Dudon et l'abbé Bremond, *La Revue de France*, 1er septembre 1926, p. 102 à 142.

deux tailles, fort maigre, le visage jaune extrêmement laid, des yeux très vifs, une physionomie ardente, mais qu'elle savait adoucir ; vive, éloquente, savante, avec un air prophétique qui imposait ».

Cette « étrange béate » fut pour Saint-Simon « une énigme », et non nécessairement une simulatrice et une folle : elle a fait, dit-il, « de grandes et surprenantes conversions qui ont tenu », « opéré des guérisons surprenantes », prédit « des choses à venir, qui sont arrivées ». Il y avait donc dans son cas de l'inexplicable, un certain mystère qui se manifestait d'une manière déplaisante, mais qu'on ne pouvait nier, et qu'on retrouvait ailleurs, incontestablement. Le maréchal Fabert recevait dans son lit un « esprit familier » venu de l'au-delà, le marquis d'Effiat s'entretenait sur son lit de mort avec un visiteur qui traversait les murailles, Saint-Simon n'ironise pas davantage à leur sujet. « Je les crains sans les croire », disait Bussy-Rabutin des fantômes. Les prédictions d'une bonne femme annonçant à Louis XIV qu'il épouserait sur le tard « une veuve déjà surannée, et de la plus basse condition », ou celles d'un abbé rencontrant Mme de Maintenon encore loin de ses futures grandeurs, et lui affirmant qu'elle serait reine, Saint-Simon ne semble même pas les mettre en doute. Il se dit « éloigné de ces sortes de curiosité », mais il en est troublé : « Ce sont de ces sortes de choses que Dieu permet quelquefois par des raisons adorables, et peut-être terribles, pour châtier une curiosité qu'il est si défendu de suivre et si dangereux d'écouter, même dans ces rares vérités que tant de ténèbres enveloppent, et qui sont étouffées par de continuelles faussetés. » Il cite avec sérieux le cas d'une mule de l'évêque de Saint-Pons, qui fit un miracle, et quant au chancelier Voysin, tout dévoué aux bâtards, il ne doute guère qu'il ait été proprement possédé du démon. Lors des mariages princiers à la Cour de France, un prélat venait bénir les draps où allaient se rencontrer les époux, et Saint-Simon ne songe pas à trouver superstitieuse cette pratique.

A moins de s'en tenir à deux et deux font quatre, ce qui est une solution, on est toujours le superstitieux de quelqu'un. Qu'est-ce qu'une religion qui, à la différence de celle d'Espagne, serait *éclairée?* Des vérités inconcevables pour l'homme (et si elles lui étaient concevables, elles seraient humaines) peuvent-elles lui parvenir autrement qu'enveloppées de « tant de ténèbres »? « Tout ce qu'on pense de Dieu est un songe, en comparaison de ce qu'on voudrait et faire et penser pour célébrer sa grandeur » (Bossuet). C'est pourquoi je regrette que Saint-Simon n'ait pas aimé la religion de l'Espagne.

On ne peut que s'en remettre aux signes, aux gestes, aux images, aux symboles, quand il s'agit d'exprimer l'invisible, et ce qui ne saurait être pour nous que mystère, ou n'est pas. « L'Absolu... J'en parle, a écrit Jean Grenier, je crois que j'y pense, si tant est que l'on puisse en avoir l'ombre d'une idée. » Cet Absolu est si loin de nous, si étranger, que tout ce qui peut nous le faire pressentir, nous le rendre présent quelquefois, se vaut et s'égale, de l'œuvre d'art la plus sublime jusqu'à la pratique la plus humble, celle-ci plus efficace peut-être et plus justifiée assurément, puisqu'elle nous met à notre vraie place par rapport à l'Absolu. Les vieilles femmes d'Espagne à mante noire et gros doigts déformés sur leurs rosaires en savent autant que les plus subtils théologiens, et les précèdent sans doute. En visite à Tolède, on signala à Saint-Simon le « château », c'est-à-dire l'Alcazar, et aussi la cathédrale et l'église des Cordeliers, mais « rien d'ailleurs à voir » : les personnages du Greco qu'il aurait pu rencontrer çà et là lui auraient montré le visage fou et extasié des mystiques espagnols, qui est aussi celui du Saint-Ignace, grandeur nature, en bois polychrome et doré, assis sur un banc, qui attend encore le visiteur au dernier étage de sa maison de Loyola où passa Saint-Simon, visage qui exprime la même réalité qu'à leur manière les superstitions également les moins raisonnables. Dans ce domaine, tout est bon. Le malheur est que les costumes chamarrés, les cérémonies pompeuses, les agenouillements, la dévotion tremblante, le mystère et les décors qui empruntent au théâtre ses trompeuses apparences, peuvent aussi orner et dissimuler l'imaginaire et le faux. Ceci nous fait quitter les jardins et les sanctuaires de l'Espagne, et retourner droit à Versailles.

*

Le cérémonial si exigeant pour tout ce qui approchait le Roi, les usages qui prévoyaient à chaque événement, mariage, naissance, séparations, retrouvailles, mort, exactement ce qu'il convenait de faire, et qui transformaient les fêtes, la vie quotidienne, les jeux eux-mêmes, et la chasse royale, en une parodie d'office religieux, mettaient le mensonge et une convention inhumaine dans l'expression des sentiments les plus intimes. Philippe V avait agi en disciple fidèle de son grand-père, en abandonnant pour aller à la chasse sa femme dès que morte, alors qu'il l'avait tant aimée. A la Cour on prenait le deuil, on « drapait » pour des morts qui ne vous étaient rien et qu'on pouvait n'avoir jamais vus, on criait et pleurait beaucoup si quelque personnage de sang royal venait à disparaître, dont on se moquait, tandis qu'il était bien que le roi d'Espagne, sa femme morte, partît « tirer pour prendre l'air ».

Les convenances ne permettaient pas qu'un roi accompagnât le cercueil de l'un des siens, et Louis XIV, à chacun de ses deuils, ne manifesta rien. Il arrivait qu'on emporte le corps en vitesse à Saint-Denis, et « le Roi ne voulait jamais de tristesse à Marly ». On reprenait les jeux, on dansait le lendemain du jour où la mort avait enlevé ceux qu'on avait entourés de tant de bassesses, et vingt-six heures après la mort de Monsieur, frère du Roi, le duc de Bourgogne jouait au brelan et « le salon fut bientôt rempli de tables de jeu ». Tout au plus en changeait-on : « La mort de Monseigneur interrompit le jeu à Marly, et introduisit l'oie en particulier pour Madame la Dauphine qui n'avait pas lieu d'être affligée, et qui ne l'était pas aussi. » On l'avait vue pourtant, le jour de cette mort, comme les autres pratiquer avec ostentation « l'art du mouchoir ». Quant au duc et à la duchesse de Berry, ce même jour, ils étaient « étendus à terre, les coudes appuyés à un lit de repos, et criaient tellement qu'on les entendait à trois chambres plus loin » (Lettre de la duchesse d'Orléans). Désespoir de situation, auquel succédait l'oubli : le protocole ne demandait pas qu'on se souvienne. Aux services religieux pour Louis XIII

Saint-Simon était presque seul, et s'en étonne, comme s'il ne connaissait pas la Cour. Sitôt la mort du fils de Louis XIV, sa mémoire « a été presque effacée... Aucun aumônier, aucun prêtre ne demeura auprès de son corps... On mit dans son cercueil du son, comme au dernier des pauvres, et l'ouvrier qui le fit, l'ayant fait trop étroit, ne fit entrer le corps dedans qu'à force de trépigner des genoux sur le ventre du Dauphin. Enfin, tout ce qui se passa en cette occasion fut inouï » (*Mémoires* du baron de Breteuil). Adulé de son vivant, annulé mort, ne méritant ni cette adoration ni ce mépris, c'était le sort des maîtres de Versailles. Quand le duc et la duchesse de Bourgogne eurent expiré, mais non encore enterrés, Louis XIV partit pour Marly, emmenant, dit Dangeau, « plus de femmes que jamais » : il fallait que tout continue. Ce qu'on appelait « le deuil de la Cour » était décrit avec minutie dans le Registre du Maître des cérémonies : « Au bout de six semaines, on a quitté les pleureuses, remis les boutons aux manches des justaucorps; mais on a laissé les manches plates à la veste, sans mettre de manchettes au poignet... »

Les pleurs même réglés, ne pleurait donc pas qui voulait, et pleurait qui n'en avait nulle envie, dans ce monde si parfaitement truqué où nous avons vu déjà que les enfants n'étaient comptés que pour perpétuer et mieux asseoir la famille, où la règle était qu'on se marie sans s'aimer, où étaient bombardés évêques, archevêques, cardinaux, des grands seigneurs ou des aventuriers pour qui la religion n'était qu'un moyen de parvenir, qui parfois n'en avaient pas l'ombre, et devant qui on s'agenouillait ensuite dévotement. On avait un évêché dans sa famille, d'un bon revenu, on le garderait donc, on aurait un prêtre, n'importe qui, cela se faisait. Quand la fille de Monsieur, qu'on avait jusque-là à peine vue et dont on ne savait rien, partit épouser le duc de Lorraine, « tout le monde pleurait, écrit sa mère, le roi, la reine d'Angleterre, toutes les princesses, tous les membres du clergé, tous les courtisans, jusqu'aux gardes et aux Suisses ». C'était l'usage.

Saint-Simon n'est jamais dupe, et qu'on le compare à Mme de Sévigné, toujours si bon public. Il dit tout, tel quel, pleure ceux qu'il regrette, se moque de la mort des autres. « Je sentais malgré moi un reste de crainte que le malade en réchappât... » Ces jugements de cour qui vous rendaient importants, respectés, pleurés, il les méprise. Le Grand Prieur était « pourri de vérole », l'archevêque de Rouen un « excrément de séminaire », les ducs d'Estrées et Mazarin, tout simplement des « excréments de la nature humaine », le vicomte de Polignac « un petit bilboquet qui n'avait pas le sens commun », Mme de Grancey, « une vieille médaille plâtrée ». Le marquis de Nangis, dit-il, « que nous voyons aujourd'hui un fort plat maréchal de France... » Et ce n'est pas dénigrement systématique : nous verrons comment, sur quel ton, il parle de ceux qu'il aimait. Voici d'ailleurs son testament : « Je veux que de quelque lieu que je meure, mon corps soit apporté et inhumé dans le caveau de l'église paroissiale dudit lieu de La Ferté, auprès de celui de ma très chère épouse, et qu'il soit fait et mis anneaux, crochets et liens de fer qui attachent nos deux cerceuils si étroitement ensemble et si bien rivés qu'il soit impossible de les séparer sans les briser tous deux. »

*

« M. du Maine crevait de joie. Le terme est étrange... » Des histoires de cour dans un style de cour seraient insupportables. Sans remonter jusqu'à *L'Astrée*, Voltaire paraît « mondain » à côté de Saint-Simon. Les peintures que nous a laissées d'elle la vie à Versailles n'en montrent que les jardins à la française et les belles couleurs, les fêtes dans la grande galerie et la grâce des costumes, et les courtisans ne se faisaient peindre qu'en majesté. Dans le portrait de Dangeau par Rigaud il n'y a pas une once de vérité humaine, rien que des draperies, et son *Journal* est un modèle : rien de trop, rien de saillant, tout est gommé, c'est ainsi qu'il fallait parler de Versailles. « La Cour de Louis XIV, écrira Voltaire, respirait une galanterie que la décence rendait plus piquante. » Pas de changement depuis les premières lignes de *La Princesse de Clèves* : « La magnificence et la galanterie n'ont jamais paru en France avec tant d'éclat, que dans les dernières années du règne de Henri Second. » C'est là le bon ton de l'époque, qui est brusquement brisé, cassé, anéanti par Saint-Simon, car les mots suivent quand on a pris le parti d'être vrai. *L'Art poétique* de Boileau interdisait à qui voulait écrire « le langage des halles ». Saint-Simon réserve à son lecteur la surprise (« si jamais, longtemps après moi, ces *Mémoires* paraissent... »), d'une cour connue pour sa « galanterie » et qui passait pour si policée, solennelle et respectueuse, évoquée cette fois dans le style libéré de toute contrainte, et direct, vert, imprévu, familier, d'une conversation de cabaret.

« J'aperçus devant moi, tout contre, un petit homme trapu, mal bâti, avec un habit grossier sang de bœuf, les boutons du même drap, des cheveux verts et gras qui lui battaient les épaules, de gros pieds plats et des bas gris de porteur de chaise. Je ne le voyais que par-derrière, et je ne doutai pas un moment que ce ne fût le porteur de bois de cet appartement. Il vint à tourner la tête, et me montra un gros visage rouge, bourgeonné, à grosses lèvres et à nez épaté; mais ses cheveux se dérangèrent par ce mouvement et me laissèrent apercevoir un collier de la Toison. Cette vue me surprit à tel point que je m'écriai tout haut : "Ah! mon Dieu! qu'est-ce que cela?" Le duc de Liria, qui était derrière moi, jeta les mains à l'instant sur mes épaules, et me dit : "Taisez-vous, c'est mon oncle." »

Ce portrait du duc d'Albuquerque sous son apparence authentique de laquais, c'est la Cour de France rendue à sa vérité par Saint-Simon. « Nul verbiage, nul compliment, nulles louanges, nulles chevilles, nulle préface..., tout objet, tout dessein, tout serré, substantiel, au fait, au but », ce qu'il dit des propos du duc de Bourgogne est surtout vrai de lui-même avec, en plus, une folie de liberté dont le pieux Dauphin était très dépourvu. Autre portrait, dans une *Addition* à Dangeau, du maréchal d'Huxelles : « Un silence artificieux, qui présentait à croire rien moins que ce qui était en lui, avec une grosse physionomie enfoncée, chargée d'une grosse perruque qui faisait dire que c'était une bonne tête, tandis qu'elle ne l'était que de Rembrandt. » Cela aussi nous renvoie à Saint-Simon : vérité des mots, mais éclairage « à la Rembrandt », liberté du langage, mais aussi de la couleur, jamais vue.

Dans la chapelle de Versailles, quand le Suisse

regarde M. de Clermont-Tonnerre, évêque de Noyon, depuis la tribune pissant à travers la balustrade, il est « estomaqué ». Saint-Simon dit que Belle-Isle lui « lâcha ce saucisson dans l'oreille » (c'était alors une charge de poudre), ou encore que le mariage du duc de Berry, s'il ne l'avait lui-même prévu et organisé, aurait été « comme une meule » qui lui serait tombée « un matin sur la tête », tandis que le duc d'Orléans restait dans cette affaire « comme une poutre immobile ». On retrouve une « meule attachée au cou » du chancelier de Pontchartrain : c'est son déplorable fils. Sous la Régence, si le Conseil de la Guerre était devenu « une pétaudière », celui du Dedans, où on ne faisait plus rien, « ne tenait plus qu'à un bouton ». Le Régent, incertain, gêné, fuyant, demandait son avis à Saint-Simon, mais comme malgré lui, « à la manière d'un pot qui bout et répand, non comme un homme qui consulte ». Une autre fois le Régent lui fit un conte pour se moquer de lui : ce fut, dit-il, « une bourde » qu'il eut « la sottise de gober ». Le jour où Philippe d'Orléans se résolut à lui dire pour de bon ce qu'il avait sur le cœur, il le lui « débagoula », terme « très bas » selon le dictionnaire de l'Académie de l'époque. Saint-Simon ne cache pas que le moment de sa vie le plus délicieux sera celui où il aura raison du duc de Noailles, où il pourra « l'écraser en marmelade et lui marcher à deux pieds sur le ventre ». C'est aussi de « marcher sur le ventre » du duc du Maine qu'il propose au Régent. Il est vrai que celui-ci devait, sous peine de mort, se défendre : le feu Roi, par son testament, « mettait le couteau dans la gorge de M. le duc d'Orléans, dont il livrait le manche en plein au duc du Maine ». Lorsque ce dangereux adversaire, et sa femme, furent enfin arrêtés par le Régent, tous les seigneurs qui avaient partie liée avec eux, jusque-là si superbes, « mangeaient dans la main ».

A tout moment un terme concret lui sert à définir, peindre, évoquer, montrer. Chez la princesse d'Harcourt, « les grâces et la beauté s'étaient tournées en gratte-cul », et avec cela, elle aussi, « basse comme l'herbe ». Dangeau, retiré de la Cour, ne connaissait plus de celle-ci « que des restes d'épluchures », et Louis XIV vieillissant et avalant avec peine, « les morceaux lui croissaient dans la bouche ». Le duc de Berry, que son grand-père terrifiait, en était « à tourner son chapeau autour du Roi comme un enfant ». La nouvelle de la transformation des bâtards en héritiers de la couronne tomba comme une bombe, et « chacun se jeta ventre à terre comme on fait aux bombes ». Le premier président Harlay rêvait de la place de chancelier, « que le cadavre de Boucherat remplissait encore », et quand ce fut au tour du premier président de Mesmes de convoiter cette place, on le vit « tourner vers cette première charge de la robe une gueule béante ». La principauté de Monaco ? « Une roche, du milieu de laquelle on peut, pour ainsi dire, cracher hors de ses étroites limites. » Le duc de Chevreuse, que Saint-Simon aimait tant, avait un défaut grave : « il coupait un cheveu en quatre ». Pour dire d'un homme qu'il frappait à toutes les portes, Saint-Simon signale qu'il ne négligeait « ni les cochères, ni les carrées, ni les rondes », et c'est ainsi que l'abbé de Mailly parvint « à force de bras à l'archevêché d'Arles », après avoir vécu « les coudes percés dans un recoin de Saint-Victor ». Longuepierre, autre intrigant, « avait mis son pied dans tous les souliers qu'il avait pu ». Certains ambitieux, moins heureux, ne réussissaient qu'à « se casser le nez contre le mur », et quant à Saint-Simon lui-même, dit-il, « je dansai ainsi sur la corde sur une si délicate situation ».

Le saucisson, fût-il emprunté au langage de l'artilleur, la meule, la poutre, la bourde, la corde, le cheveu, le pot qui bout et déborde, les coudes percés, la pétaudière, le mur où on se casse le nez, le rival politique qu'on veut écraser en marmelade, le couteau dans la gorge, les crachats de Monaco, les jets d'eau de Saint-Ildefonse qui sont « gros comme la cuisse », et Mme de Maintenon qui a « rôti le balai » avec Ninon de Lenclos, nous voici très loin de cette lettre du duc d'Orléans dont parle Saint-Simon : le style feutré de bonne compagnie y était si bien respecté qu'on aurait dit « un dessin au crayon que la pluie a presque effacé ». C'est pourquoi le moindre croquis de Saint-Simon demeure.

*

Le maréchal de Duras, grand cavalier, ne craignait pas de dire au Roi que ses petits-fils « ne seraient jamais à cheval que des paires de pincettes ». Le Chancelier, répondant à une suggestion de Saint-Simon, rapporte celui-ci, lui déclara « qu'il voudrait le baiser au cul, et que cela fût exécuté ». Le Régent appelait ses compagnons de débauches, qui ne le trouvaient pas mauvais, « des roués et des putains », et son ministre très cher, le cardinal Dubois, si on l'importunait, lançait en public « tous les b... et les f... les plus redoublés ». Mme de Sévigné raconte la mort de Mme de Fontenilles : « Quoi! cria-t-elle, il faut donc crever ici! » Cette verdeur de langage était de mise jusque dans les cercles les plus « trayés » de la Cour, mais on la réservait aux boutades, aux propos entre amis (ou aux invectives, dans la colère ou dans l'agonie), et volontiers aux lettres familières. On la retrouve dans la correspondance de Vauban, dans celle de Tessé, qui agite avec complaisance le pot de chambre de la duchesse de Bourgogne, et bien entendu dans celle de la duchesse d'Orléans, où ce n'est plus un langage de cabaret, mais de corps de garde.

Ainsi, les lettres intimes de Saint-Simon : « Je lui mandai que je le remerciai de sa nouvelle, et que je le priais de s'aller... en propres termes, et de me croire, etc. Ils en rirent beaucoup. » C'est dans un billet envoyé d'Espagne au Régent en 1722 qu'il dit son horreur pour les « barboteurs de chapelets » qu'on y rencontre, « tous mangeurs d'ail, d'huiles puantes, et de madones ». En 1713, à Chamillart, évoquant une dame qu'il traite de « vilaine et halbrenante femelle », il parle de « ces sortes d'égueulées qui ont un sexe et un nom ». On le savait plus vif encore que les autres, la plume à la main : « Il est inutile que M. de Saint-Simon le désavoue (un écrit anonyme) : son laconisme sec, dur, bouillant et inconsidéré lui ressemble trop pour que l'on puisse s'y méprendre; son style ne peut être imité par personne. » Quand il fut question de nommer Dubois cardinal, Saint-Simon composa une lettre qui circula, pour combattre le projet, et dont eut vent l'intéressé : Dubois certifia au cardinal de Rohan que ce n'était là qu'un « léger crayon de ses discours... Si ses lettres servent de thermomètre à M. le cardinal Gualterio, il ne trouvera jamais l'air tempéré... »

Vers la même époque Caumartin, écrivant à sa sœur la marquise de Balleroy, racontait qu'au Palais-Royal Saint-Simon avait injurié le premier président « en termes de crocheteur » : ce magistrat à portée de voix, il aurait dit au duc de La Feuillade : « A quoi t'amuses-tu à parler à un jean-foutre comme celui-là. » Le duc de Luynes confirme dans ses *Mémoires* qu'il était « extrêmement énergique dans ses expressions », décrivant par exemple sa propre fille, qui était contrefaite, d'une manière « outrée » et avec des détails à faire peur. Pontchartrain lui faisait le même reproche, à peu près dans les mêmes termes. « Il exprimait fortement ses sentiments dans la conversation, dit le duc de Luynes, et écrivait de même ; il se servait de termes propres à ce qu'il voulait dire, sans s'embarrasser s'ils étaient français. »

Chez tous ses contemporains, sitôt qu'il ne s'agissait plus d'une lettre à ne pas montrer, ou d'un mot jeté en passant, toutes les conventions du style reprenaient leurs droits. C'est dans l'œuvre de toute sa vie, le monument qu'il édifie et laissera, que Saint-Simon lâche ses mots comme autant d'incongruités. Il eut, seul de son siècle, l'audace d'écrire « pour l'immortalité » comme il parlait.

*

Écrivain sans le savoir ? Envoyant à l'abbé de Rancé des fragments de ses *Mémoires*, qu'il lui demande de lire, il dit que son style est « âpre et amer », que

« la passion l'anime ». C'était bien se connaître. Après avoir longuement dit les mérites du prince de Conti, Saint-Simon note soudain : « Cet homme si aimable, si charmant, si délicieux, n'aimait rien. » Or ce trait se trouve dans l'*Addition* à Dangeau dont s'inspire ce passage, mais perdu, affaibli, noyé au milieu d'un développement où Saint-Simon alla le pêcher pour le mettre, exactement, où il fallait. On peut comparer aussi dans les *Additions* et dans les *Mémoires* cet épisode dont j'ai parlé déjà, où le roi d'Espagne, à la chasse, voit passer le convoi funèbre de la reine. Saint-Simon avait marqué d'abord que Philippe V « se détourna exprès pour s'approcher du convoi », sans plus. Cela devient : « Il se trouva, en une de ces promenades, lors du transport du corps de la reine à l'Escorial, et à portée du convoi; il le regarda, le suivit des yeux, et continua sa chasse. Ces princes sont-ils faits comme les autres humains ? » Philippe V ne fait plus un détour pour approcher du convoi : au hasard d'une promenade, une rencontre. Ce regard qui suit d'un peu loin, et c'est lui cette fois qui se détourne, cette chasse qui continue, cette question, c'est le chroniqueur changé en écrivain, et qui veut l'être. Ce n'est pas fortuitement qu'on écrit ceci, des nièces du prince de Vaudémont : « Toutes deux point méchantes pour l'être, et se conduisant au contraire de manière à en ôter le soupçon, mais, lorsqu'il y allait de leurs vues et de leur intérêt, terribles. » On a peine à croire que Saint-Simon n'a pas voulu consciemment s'amuser, quand il parle de « la sauce des sceaux ». On est sûr qu'il s'amuse aux prodigieuses scènes de l'altercation de Dubois et de Villeroy, et de l'arrestation du maréchal, qui semblent jouées sur un théâtre de marionnettes : « Il entre en comédien, s'arrête, regarde, fait quelques pas... Il s'écrie ; il est mal sur ses jambes ; il est jeté dans une chaise qu'on ferme sur lui... Et touche cocher ! » On devine que Saint-Simon a connu le plaisir et l'art d'écrire, qui sont une même chose, et que son apparent désordre n'est pas négligence ou maladresse, quoique le laisser-aller du grand seigneur méprisant *la plume* puisse y avoir sa part. Il écrit selon son mode, non selon la mode du temps, cherche pour ce qu'il a à dire l'expression la plus intense, non la plus parfaite selon les cuistres, et la trouve. Les mots s'enchaînent comme ils peuvent, non au hasard, mais pris dans le mouvement qui les entraîne et les ordonne, par sa rapidité et son rythme. Certaines notes de certaines éditions des *Mémoires*, qui veulent « éclairer le texte », sont tristes à lire, expliquant ce que Saint-Simon dit clair comme le jour, mais au vol. Il tourbillonne, caracole et fait feu des quatre fers : un cheval échappé est heureux, et son bonheur est dans ses arabesques. On voudrait vous transformer en cheval de manège, qui fait le beau sur ordre. « Je ne fus jamais un sujet académique... » Il n'avait rien d'un écolier de Boileau, dont nous subissons encore les disciples : autres règles, autres injonctions, même sérieux, même dogmatisme, ceux qui n'écrivent pas disent aux autres comment il faut écrire. Mais nous savons, nous autres, qu'écrire est jeter son bonnet par-dessus les moulins.

Jardins de Le Nôtre, façades géométriques, chambre du Roi au centre idéal du palais : point de salut au Grand Siècle hors de cet ordre triste. Mme de Maintenon, qui avait froid, n'avait pas la liberté de mettre un paravent devant sa fenêtre : « On n'arrange pas sa chambre comme on veut, écrivait-elle, quand le Roi y vient tous les jours, et il faut périr en symétrie. » A Fontainebleau, elle avait en effet un bel appartement, mais à la fenêtre « ni volet, ni châssis, ni contrevent, parce que la symétrie en serait choquée ».

Il faut que chaque chose y soit mise en son lieu,
Que le début, la fin, répondent au milieu.

Boileau avait donné cette règle, et ce parfait exemple d'un style plat. On lui devait, disait-on, « le progrès général du goût ». Les trois unités, le déroulement méthodique de l'action, l'exposé des caractères avant le nœud de l'intrigue, les préparations filées, les conclusions depuis longtemps annoncées, et qui sont comme un point d'orgue qui repose et où tout est repris, résolu, fixé à jamais, Saint-Simon s'est aussi peu soucié des préceptes de l'art classique qu'il a détesté le nivellement, la mesure, la discipline que l'administration de Louis XIV a tenté d'imposer à un pays resté prodigieusement et délicieusement divisé. On aurait pu, dit-il, une montre à la main, savoir d'un autre continent à tout moment ce que faisait le Roi. Avec Saint-Simon, c'est l'inattendu qui arrive, l'horloge marque des heures inégales, la fin précède les prémisses, chaque partie se culbute, l'une à peine esquissée, l'autre se ramifiant à n'en plus finir, et l'art avec lui est ce qu'il devrait être toujours, surprise.

Le portrait physique de Monsieur, frère du Roi, vient après sa mort, au dernier paragraphe, alors que depuis si longtemps on rencontrait le personnage et croyait le connaître. Un écrivain classique comme un médiocre d'aujourd'hui l'auraient d'abord présenté en pied : c'est mort qu'il reçoit ici un surcroît d'existence, au mépris de ce qui s'apprend, selon une nécessité qui ne s'apprend pas. Après avoir dit que le comte de Coëtquen était instruit et d'un commerce agréable, Saint-Simon ajoute : « Avec cela, assez particulier et encore plus paresseux, extrêmement riche par sa mère, qui était une fille de Saint-Malo, et point de père. » Aucune continuité, aucune logique raisonnable, entre chacun de ces traits : ce n'est pas une étude d'atelier comme on en a trop fait, c'est un dessin jeté. L'épouse du chancelier Voysin était « pleine d'inventions, d'amusements, de plaisirs, de fêtes », mais comment donc une femme serait-elle pleine de fêtes? Celle de Belle-Isle était « riche, extrêmement laide, encore plus folle : elle s'en entêta, et ne le rendit pas heureux, ni père. Son bonheur l'en délivra quelques années après, et le malheur de la France le remaria longtemps après ». Malheur et mariage, mort et délivrance, paternité et folie, laideur et richesse, tout est mêlé et confondu dans cette note où pas une idée n'appelle l'autre et où l'on avance par sauts.

Voici le maréchal de Villeroy, lors d'une première et passagère disgrâce : « Ce n'était plus le temps où le langage, les grands airs et les secouements de perruque passaient pour des raisons; la faveur qui soutenait ce vide était passée... Son humiliation était marquée dans toute sa contenance; ce n'était plus qu'un vieux ballon ridé, dont tout l'air qui l'enflait était sorti. » A-t-on jamais vu du vide soutenu par une faveur, des raisons sous forme de secouements de perruque, un homme devenu ballon? Et le duc du Maine, bâtard du feu Roi : « Avec de l'esprit, je ne dirai pas comme un ange, mais comme un démon, auquel il ressemblait si fort en malignité, en noirceur, en perversité d'âme, en desservices à tous, en services à personne, en marches profondes, en orgueil le plus superbe, en fausseté exquise, en artifices sans nombre, en simulations sans mesure, et encore en agréments, en l'art d'amuser, de divertir, de charmer quand il voulait plaire, c'était un poltron accompli de cœur et d'esprit, et, à force de l'être, le poltron le plus dangereux, et le plus propre, pourvu que ce fût par-dessous terre, à se porter aux plus terribles extrémités pour parer ce qu'il jugeait avoir à craindre, et se porter aussi à toutes les souplesses et les bassesses les plus rampantes, auxquelles le diable ne perdait rien. » Il est clair que nul n'a jamais *ressemblé* à quelqu'un « en desservices à tous, en services à personne, en marches profondes », qu'une fausseté ne devrait pas être exquise, que « l'art d'amuser et de divertir » ne passe pas pour être un attribut du démon, et qu'on retrouve avec étonnement ce diable, à la fin d'une phrase si longue et où il est dit tant de choses qu'il n'est plus guère possible de se rendre compte que là où le diable ne perdait rien, c'était dans sa ressemblance. Apparentes confusions, à-peu-près choisis avec désinvolture, contorsions de la phrase, et la vie passe : nul ne serait maintenant plus mort que le duc du Maine, sans la caricature qu'en a faite son ennemi. Avec cela, chez celui-ci, un naturel inimitable : « Je me suis peut-être trop étendu sur cet article : les singularités curieuses ont fait couler ma plume... »

Cette liberté, cette spontanéité du langage et des mots, en un temps où le discours et l'écriture ne souffraient qu'un vocabulaire d'apparat, où la soumission à toutes les convenances était comblée et l'indépendance pourchassée, le mettaient à part, où il reste encore, cet écrivain qui dédaigna de se faire connaître, seul de son espèce.

*

Racine, « si connu par ses belles pièces de théâtre », avait de l'esprit, dit-il, était honnête homme, modeste, et sur la fin « homme de bien », et il avait beaucoup d'amis : « C'est à eux que je laisse d'en parler mieux que je ne pourrais faire. » Ceci est court, et ne lui était pas venu à l'esprit pour tant de médiocres dont il parle si volontiers, qui n'avaient pas moins d'amis que Racine. On sent une réserve un peu méprisante, tout au moins le désintérêt. Il faut voir sa condescendance quand il mentionne Voltaire, en dépit du « nom que ses poésies, ses aventures et la fantaisie du monde lui ont fait » : « une manière d'important », sans plus. A propos de Boileau, il remarque : « Tous les satiriques de profession louent bassement les gens en place et en faveur. » Peut-être se souvenait-il surtout de la *Satire* sur la noblesse, avec cette dédicace à Dangeau qui dut lui paraître un comble.

Si La Bruyère trouve grâce à ses yeux, c'est qu'il était « de très bonne compagnie » et savait au contraire distinguer le vrai seigneur du parvenu, disant que « Dangeau n'était pas un seigneur, mais d'après un seigneur », ce qui enchantait Saint-Simon. Pour La Fontaine, il se borne à copier Dangeau : fameux « par ses fables et ses contes », mais ajoute : « si pesant en conversation ». Les *Provinciales* lui semblèrent seulement « ingénieuses ».

Aucune solidarité avec ceux qui écrivent. Il n'avait pas de confrères en littérature, qui fut pour lui une activité secrète, mais longuement « pourpensée », qui relevait un peu de la délectation morose, le plaisir solitaire de ce chaste. On peut rêver à ceci : voilà sans doute le seul écrivain français qui n'a jamais « parlé littérature » avec personne, un des plus grands cependant, peut-être pour cela.

Aussi ne comprit-il rien à la politique des ministres de Louis XIV, d'abord Colbert aidé par Chapelain, qui était de s'attacher, favoriser, pensionner, les écrivains et les artistes, à condition qu'ils chantent la gloire de Louis le Grand, et ne devina nullement l'influence qu'ils pourraient avoir, qu'ils avaient déjà, s'ils en venaient à combattre le vieux monde de Versailles, dont les limites marquaient l'horizon de Saint-Simon.

*

La duchesse de Saint-Simon reçoit à l'hôtel de Lorge « sur son lit toute la France » au lendemain de son mariage. Celui de la fille du duc de Beauvillier avec le jeune duc de Mortemart impressionna, mais fâcheusement, « toute la France ». Brouillé avec le duc de Noailles, Saint-Simon lui multiplie les avanies « à la vue de toute la France », au procès du prince de Conti contre Mme de Nemours « toute la France en hommes emplissait la grand'chambre », de même que chez Mme de Montespan, retirée et repentante, « toute la France y allait ». Au sacre de Dubois au Val-de-

Grâce, « toute la France » fut invitée. C'est-à-dire strictement et toujours les mêmes, ceux qui suivent le Roi de Versailles à Fontainebleau, de Fontainebleau à Marly, si on le leur permet, dont c'est là le domaine, et qui de là prélèvent sur Paris et sur les provinces les revenus et les rentes qui assurent, avec les pensions du Roi, leur splendide oisiveté, la noblesse de Cour, et elle seule. Mme de La Fayette dans son *Histoire de Madame, Henriette d'Angleterre*, et Mme de Sévigné dans ses lettres, usent de la même formule que Saint-Simon : chez Madame, s'empressait « toute la France », et pour le mariage somptueux de la fille de Louvois avec un La Rochefoucauld, fut conviée « toute la France ».

Les autres, paysans, artisans, bourgeois riches ou pauvres, noblesse de province qui ne vaut guère mieux, ce n'est pas la France. Saint-Simon rappelle au Régent dans un long *Mémoire* les temps heureux où la noblesse digne de ce nom était à sa vraie place, reconnue, consacrée, où elle constituait le seul ordre de l'État : « Oui, Monseigneur, le seul de l'État... », puisqu'elle était à l'origine « le seul qui, à raison de domination, représentât et formât l'État ». En dehors d'elle, il n'y a que poussière et crasse, ou usurpation. Le bourgeois se renifle de loin, « le hareng sent toujours la caque ».

« Ce M. Castille, dit aussi Saint-Simon dans une *Addition* à Dangeau, n'était rien », quoique son père eût tenté de le « décrasser » par un beau mariage. Il faut prendre ce *rien* dans son sens le plus fort, et si j'ose dire le plus concret dans son néant. « Ah! que je plains ceux qui ne sont pas ici! », disait Mme de Sévigné, reçue à Saint-Cyr; et parlant de Racine et Boileau, qui n'auraient pas dû y être : « Ces bourgeois-là..., cela fait rire, et ils font leur cour. » Dans quel mépris ceux qui vivaient à la Cour tenaient ceux qui n'en étaient pas, on le voit dans une lettre de la marquise de Maintenon à son frère, où elle évoque la femme de celui-ci, mal née : « C'est l'image de la bourgeoisie, et ce qui s'appelle une caillette de Paris... Elle est d'une incivilité insupportable... Elle est déréglée en tout... Elle parle comme à la halle... Ses sots parents sont tous propres à la croire belle... Je vous conseillerais de ne pas coucher toujours ensemble... On n'est point sur ses gardes avec un oison comme elle. » Tout ce qui n'était pas la Cour était basse-cour, et vu de loin et de haut, un autre monde.

Qu'on lise Fénelon, Vauban, La Bruyère, certaines lettres reçues de province par Colbert et Desmarets, le *Détail de la France* de Boisguilbert, les *Mémoires* de d'Argenson, même la correspondance de Mme de Maintenon ou celle de la duchesse d'Orléans : « Les hommes meurent autour de nous comme mouches, de pauvreté... Présentement, on les voit manger l'herbe des prés et l'écorce des arbres... La France entière n'est plus qu'un grand hôpital désolé et sans provision... Deux ou trois mille créatures périssent au moins toutes les années de misère... Quand on sort, on est suivi d'une foule de pauvres qui crient famine... Dans ces derniers temps, près de la dixième partie du peuple est réduite à la mendicité, et mendie effectivement... La famine augmente tous les jours, nous en sommes à n'avoir plus de quoi semer... On déplore la mort de la plupart des laboureurs de tout âge. Le reste ne ressemble qu'à des cadavres qui tombent le long des haies et des chemins et ne s'en relèvent point... Les enfants de quatre à cinq ans, auxquels les mères ne peuvent donner du pain, se nourrissent dans les prairies comme des moutons. » En juin 1739, le premier président de la Cour des Aides dira au jeune Louis XV : « Sire, vos trompettes nous annoncent la paix, mais vos sujets n'en goûtent pas les douceurs car la misère est arrivée à un point tel, que les hommes disputent leur nourriture avec les animaux. » Il y avait, avec des hauts et des bas, un siècle que cela durait, y compris tout le règne du Grand Roi. « Ce qui soutient vos peuples, lui écrivait Bossuet, c'est qu'ils ne peuvent se persuader que Votre Majesté sait tout. »

Si Saint-Simon se préoccupe peu du sort des traitants, magistrats, négociants, financiers, armateurs, qui amassaient des fortunes et avaient châteaux, domaines, hôtels, on le comprend. Mais il n'ignore pas le sort du peuple. Il rapporte sans commentaire les propos de l'évêque de Metz visitant la nouvelle chapelle de Versailles, et regrettant de voir le Roi « entasser tant de choses superbes, aux dépens du sang de ses peuples qui périssent de misère sous le poids des impôts ». Il sait fort bien, et dit, que la procession de Sainte-Geneviève à travers Paris servait à « amuser le peuple mourant de faim ». C'est dans Saint-Simon qu'on peut lire : « Innombrable le peuple qui en mourut de faim, et à la lettre... » Ou encore, à propos des corvées sur les routes : « Le peuple en est mort de faim et de misère à tas », et enfin, à la mort de Louis XIV : « Le peuple ruiné, accablé, désespéré... » En 1725 et 1738, Saint-Simon écrira au cardinal Fleury pour lui dire la désolation du pays où par endroits « on vit des herbes des champs », et qui ne sera plus bientôt, si l'on n'y prend garde, qu'un « vaste hôpital de mourants et de désespérés ».

Le problème du bonnet lui paraît cependant d'une

autre importance, on ne saurait comparer le poids de quelques phrases, dispersées, et la masse de ses écrits où il est question de tout, sauf de ce qui pourrait améliorer la condition des plus pauvres. S'il s'intéresse aux « malheurs de la campagne », et à un projet de taille proportionnelle qui serait plus équitable, il note que cette idée « s'en alla en fumée » et n'insiste pas. On lit avec malaise dans sa *Lettre anonyme au Roi* : « La noblesse n'est pas heureuse. » Et les autres? Saint-Simon y fait aussi allusion à ceux qui cherchent « à vivre au jour la journée avec un pénible travail », mais ce qui comptait pour lui, l'ordre vrai de ses préoccupations, on le sait par les remèdes qu'il propose : abaisser les bâtards du Roi, constituer des conseils de gouvernement aux dépens des ministres, bref réorganiser l'État sur une base vraiment aristocratique, à quoi on ne voit pas ce que personne pouvait gagner, sauf la haute noblesse débarrassée à la fois des « bâtards et bâtardeaux » dont la grandeur nouvelle l'offusquait, et des « maîtres des requêtes, commis, hommes de loi, magistrats, intendants et ministres » qui s'interposaient entre elle et le Roi. Alors les « seigneurs » seraient entendus, et ce serait justice puisque la France n'était qu'à Versailles, ou plutôt Versailles, c'est la France.

*

Nous avons nos préjugés, nous aussi, qui stupéfieront nos descendants. L'important est de témoigner pour la vérité, si confusément qu'elle nous apparaisse, et si contradictoire que soit avec elle notre vie, et toute œuvre est vaine si elle ne rend pas pour finir, et malgré tout, ce témoignage. Celle de Saint-Simon ne serait pas grande, seulement curieuse, si elle n'exprimait que des préjugés révolus comme seront les nôtres. Lorsqu'on pénètre plus avant dans les *Mémoires*, écartant ce qui saute aux yeux pour tenter de découvrir ce que ce duc et pair pensait et croyait vraiment, fût-ce malgré lui, et ce qu'il avait vraiment à dire, même s'il perdait son temps à parler d'autre chose, on discerne que si pour lui la France était à Versailles, la vérité n'y était pas.

Traitant de la *Condition des Grands*, Pascal avait défini les grandeurs d'établissement, qui viennent du hasard, de la naissance, des coutumes et des lois. Ce sont des dignités sociales auxquelles on doit, disait-il, un respect d'établissement, c'est-à-dire « certaines cérémonies extérieures », n'impliquant en rien que nous reconnaissions « quelque qualité réelle en ceux que nous honorons de cette sorte ». A l'opposé, sont les grandeurs naturelles, « indépendantes de la fantaisie des hommes », « qualités effectives de l'âme et du corps », et à celles-ci seulement nous devons un vrai respect. « Il faut parler aux rois à genoux; il faut se tenir debout dans la chambre des princes », et si vous êtes duc, « je vous salue ». Mais l'estime intérieure, qui n'a que faire des cérémonies, seule la grandeur authentique doit l'inspirer, intérieure elle aussi, et qui n'a que faire des grandeurs d'établissement.

Cette double grandeur, ces deux respects, extérieur l'un, intime l'autre, on les retrouve chez Saint-Simon parlant au duc d'Orléans, qui pouvait mieux comprendre que tout autre, sceptique et intelligent. Presque fortuitement, au cours d'une longue conversation, Saint-Simon oppose « le respect profond du rang », qu'il méconnaît moins que personne, à un autre respect « bien plus intime dans l'âme et qui retient infiniment plus que l'autre, parce qu'il naît de l'estime et de l'admiration ». C'est à peine dit, effleuré presque, et il n'y revient guère, les combats qu'il menait étant d'un autre ordre, dans ces entresols, galeries, cercles, degrés, où il s'agita si longtemps pour rien et où triomphaient les grandeurs extérieures, les établissements sans mérite, les hommes qu'il n'admirait ni estimait : la vérité, et ce « qui retient infiniment plus », étaient donc ailleurs, où chacun retrouve sa vraie place et chaque chose son vrai sens. Heureux ceux qui, au moins, pouvaient y accéder dans la mort.

*

« Grand jusqu'au prodige dans la mort », cinq ans se sont écoulés depuis que Louis XIV a disparu, quand Saint-Simon le juge ainsi, et mieux. Il ne marchande plus son admiration, et son estime, à ce roi si longtemps abusé, selon lui, mais qui sut ne pas détourner les yeux à ce moment-là, qui « vit et goûta sa mort ». Alors, oui, « grand jusqu'au prodige », et d'une grandeur vraie et qui touche, parce que Louis XIV est passé d'un ordre à un autre, sortant des conventions pompeuses et fausses dont il avait fait son pain quotidien et ses délices, pour accéder à la lumière de la vérité, le Roi-Soleil changé en ce qu'il était, vieillard répétant les premiers mots des Heures Canoniales : « Mon Dieu, venez à mon aide, Seigneur, hâtez-vous de me secourir », et s'il n'en disait pas davantage, c'est sans doute qu'il n'en savait pas plus, tout cela accepté, lucidement, non avec l'orgueil du stoïcien qui se raidit pour une dernière scène, mais, humblement, comme une nouvelle et dernière grâce de Dieu. Aucun respect chez Saint-Simon pour la mort bravée, et cette dérisoire parade avant la culbute où la vanité humaine est assez folle pour trouver encore son compte. Il n'aurait pas dit ce qu'écrit Mme de Sévigné, si admirablement : « La vieille Sanguin est morte en héroïne, promenant sa carcasse dans la chambre, se mirant pour voir la mort au naturel. » Avec la mort, pas de miroir, chez Saint-Simon, pas de spectacle, ni pour les autres, ni pour soi-même. La mort qui vient, et qu'on reçoit, dit-il, amène ces « terribles moments où la figure du monde s'éclipse, et où la vérité seule paraît ». Beaucoup ne la découvrent enfin qu'à « la lueur de ce terrible flambeau qu'on allume aux mourants ».

« Déjà tout commence à s'effacer, avait dit Bossuet, les jardins moins fleuris, les fleurs moins brillantes, les couleurs moins vraies, les prairies moins riantes, les eaux moins claires. L'ombre de la mort se présente. » Pour Saint-Simon, la mort n'est pas ombre, mais illumination, elle éclaire et révèle, elle dévoile, elle montre la vérité, cruellement sans doute, dernière chance donnée parfois à un homme de la connaître, et se connaître. Aussi faut-il ne pas manquer sa mort.

Si des souffrances vous y préparent, elles sont bonnes, car le passage est rude, encore étourdi et séduit par le monde. Il en fut ainsi pour l'épouse du chancelier de Pontchartrain : « Dieu l'épura de plus en plus par de longues et pénibles infirmités. » Épuré, préparé, débarrassé, c'est tout un : il s'agit de se défaire de ce qui obscurcit le regard, de « mourir au monde et à la fortune avant que l'un et l'autre et la vie nous quittent », et que quelques jours au moins soient donnés, quelques heures, un moment, qui permette de regarder en face la mort, et de juger alors comme il convient ce monde et l'autre. Praslin, blessé à la guerre, dure encore trois ou quatre mois et peut ainsi, dit Saint-Simon, « ouvrir les yeux sur ce qu'il y a de plus important ». Coëtlogon à qui on donne son bâton de maréchal sur son lit de mort, refuse, n'ayant plus devant les yeux que « le néant du monde ». C'est là « se reconnaître », revenir à soi, tout peser dans la plus juste des balances. Ceux qui croient que la vie est tout devraient convenir que ce tout n'est rien, puisqu'il n'est pas d'entreprises, de bonheurs et de succès qui n'échouent et culbutent, puisqu'on meurt. On voit alors, dit Saint-Simon à propos de Guillaume d'Orange qui avait tant étonné l'Europe, « le néant de ce que le monde appelle les plus grandes destinées », ou encore, à propos de Louis XIII, « le monde comme un point dont toute la gloire est vaine ». L'illustre Marlborough, enterré à Westminster « à peu de chose près » comme un roi, « il y avait plus de trois ans qu'une apoplexie l'avait tellement affaibli qu'il pleurait presque sans cesse ». Était-ce la peine de s'agiter si longtemps pour arriver à ça. La mort consciente apporte au plus glorieux et au plus désinvolte cette révélation essentielle : ce qui a occupé toute une vie ne valait pas une heure de peine. On identifie pour ce qu'ils sont « le monde, son tourbillon, ses faveurs, sa tromperie et sa fin ». Bref, « le monde et son néant ».

Certains, par bonheur pour eux, l'ont compris de

longue date, que ce passage trouve déjà désabusés. Leur départ peut être soudain, tel le comte de Saint-Géran à qui fut réservée « la mort la plus désirable » : « Se portant fort bien, le 18 mars 1696, il alla se confesser à Saint-Paul, sa paroisse, à Paris, communia, demeura en prière, puis s'en alla. Ayant fait quelques pas et se trouvant vers la porte, il tomba roide mort. » D'autres ont la chance d'un dernier recours, qui supplée à leur légèreté : le duc d'Humières, « homme de toutes sortes de fêtes et de plaisirs », « ne pense guère à sa fin », et l'avoue simplement quand parvenu à ce « terrible passage », il est assisté par Fénelon, qui l'éclaire, sans doute.

Le pire est de s'en aller sans être détrompé, sans avoir rien secoué, dans le mensonge et les faux-semblants, et toutes les illusions de la vie, un funambule, qui est l'aisance et la légèreté même, sur un fil et qu'on applaudit, et qui à la seconde est par terre, démantibulé et masse informe, triste destinée que celle des hommes si elle n'est que cela : rien n'était vrai. Ainsi le marquis de Nancré, « âme damnée de l'abbé Dubois », qui planait haut lorsque « tout à coup il lui fallut quitter ce monde », descendu comme un gibier et boulant dans l'herbe. Ainsi la femme du président Maison, frappée d'apoplexie, gardant « la tête assez libre pour goûter à son tour la mort à longs traits », mais emportée « en deux fois vingt-quatre heures, sans s'être reconnue un moment ». « Elle parut ainsi, dit une *Addition* à Dangeau, devant Celui qu'elle avait voulu, et par maxime, méconnaître toute sa vie ». Redoutable vœu que celui du Régent, qui désirait mourir sans le savoir, refusant cette mort douloureuse mais qui « donne le temps de se reconnaître », souhaitant « l'apoplexie qui surprenait », et qui passa en effet des bras d'une femme d'occasion dans son éternité. « On frémit jusque dans les moelles, par l'horreur du soupçon que Dieu l'exauça dans sa colère. »

Pour ne l'avoir pas souhaité, ce fut aussi le sort du cardinal de Mailly qui eut soudain « une révolution à la tête, où il sentit des douleurs à crier les hauts cris », et mourut : « Quelle fin de vie dans un prêtre et un évêque, toute d'ambition, et persécuteur effréné par ambition et par haine!... Paraître devant Dieu tout vivant de la vie du monde... » L'archevêque de Paris, Harlay, celui-ci grand amateur de femmes, trouva la mort dans sa maison de Conflans sur le giron de la duchesse de Lesdiguières, « sans avoir eu le temps de se reconnaître », mais cette fois ce n'est pas Saint-Simon, à propos de cette mort, qui reprend une formule qui lui est familière, c'est M. Hébert, le curé de Versailles, dans ses *Mémoires* que j'aime à citer. Malheur à ceux pour qui la mort arrive sans qu'ils aient songé à cet « avenir si prochain », qui cependant les attendait inévitablement, qui n'ont jamais consenti à voir que le monde est un théâtre d'ombres, l'ambition folie, les divertissements un leurre, et qui, tout à leur vie dont ils n'ont pas interrompu un instant le cours et l'aveuglement, « meurent tout en vie ». Ce mot est de Saint-Simon.

Dans son *Histoire littéraire du sentiment religieux*, l'abbé Bremond a consacré un chapitre entier à « l'art de mourir au XVIIe siècle » : pour un chrétien à l'agonie, le commencement de la sagesse était la crainte du proche jugement de Dieu. C'était là bien mourir. « Voilà comme l'on meurt en ce quartier », disait de la paroisse Saint-Jacques-du-Haut-Pas le Janséniste Troisville. Dans ce domaine aussi, comme il se doit, Saint-Simon est de son temps, et il ne pensait pas autrement. Mais il n'en restait pas là, et tourne la mort vers la vie, comme le ferait un phare qui éclaire soudain le noir de la mer : on voit.

« Quand il se met à parler du Saint-Esprit, dit Montherlant, il devient imbécile. » C'est vite dit. On peut soutenir que la mort est le contraire de cet instant privilégié, et que c'est elle qui n'est rien. La sagesse antique, déjà, ne disait pas autre chose : vivant, la mort n'existe pas pour vous, mort, c'est vous qui n'existez plus. Reste à expliquer pourquoi, puisque tout est si simple, il y a tant de problèmes insolubles. Je voudrais seulement suggérer qu'on ne saurait s'en tenir avec Saint-Simon, et quoi qu'on puisse personnellement croire ou ne pas croire, à cette idée si obstinément reprise d'un grand seigneur tout occupé de cabales d'antichambres, redresseur de torts pour des chimères, grand pourfendeur de bonnets, et qui ne pouvait respirer et vivre qu'à Versailles ou dans « le séjour des dieux de ce monde à Marly », comme il dit dans une lettre à Pontchartrain, ironiquement, sans doute. On ne trouve chez lui que des anecdotes, dit encore Montherlant. Pas du tout. Au-delà des attitudes, paroles, écrits de combat du duc et pair le plus obstiné de son siècle, essayons d'approcher de la vérité intérieure et secrète de Saint-Simon, qu'il est permis à chacun de ne pas faire sienne, mais qu'il serait dommage de méconnaître. On se priverait d'entendre le chant profond d'une œuvre qu'il faut écouter de fort près et en faisant silence, où la Cour, ses intrigues et ses jeux ne sont qu'un décor, et dont

143

la résonance, le sens, et peut-être les plus grandes beautés, sont d'ordre religieux.

*

Le chancelier de Pontchartrain « était un petit homme sec, d'une physionomie exquise, et qui tenait tout ce qu'elle promettait ». Il y avait chez lui, ajoute Saint-Simon, « un feu et une grâce dans l'esprit que je n'ai point vu dans aucun autre, si ce n'est en Monsieur de la Trappe », ce qui, pour Saint-Simon, était tout dire, et aussi « une simplicité éclairée et une sage gaieté » qui « surnageaient à tout ». Depuis toujours, au poste éminent qu'il occupait à la Cour et faisait tant d'envieux, Pontchartrain attendait le moment où il pourrait se réserver « un sage et saint intervalle entre la vie et la mort », tout quitter, choisir dès à présent la vérité. Sa femme qui était d'une grande piété et « la mère des pauvres » l'avait retenu à la Cour plus d'une fois, et quand elle mourut, le connaissant comme elle l'aimait, lui fit promettre de rester au moins six semaines. Il n'alla pas au-delà pour parler au Roi, stupéfait qu'un chancelier pût déposer sa charge, et s'en aller. Il lui imposa de nouveaux délais, mais le 1er juillet 1714, Pontchartrain resta seul avec le Roi après le Conseil d'État, et finit par « arracher la liberté après laquelle il soupirait ». Il rapporta les sceaux le lendemain, au milieu d'une « louange et d'une consternation générale », mais lui « l'air bien au large », saluant de droite et de gauche, « glissa sans s'arrêter au milieu de tout ce qui s'était rassemblé là », et partit.

Quelques jours d'abord dans sa maison de Paris, il se retira dans un logement qui joignait à l'Oratoire, « avec une communication de plain-pied à une tribune sur le chœur ». C'était une annexe de la maison de l'Oratoire, dans le faubourg d'Enfer, qu'on appelait l'*Institution* et qui servait de noviciat. Des logements s'y trouvaient aussi, pour ceux qui voulaient y séjourner un temps, ou s'y retirer « pour travailler à la seule affaire nécessaire ». L'abbé de Rancé y avait fait un moment retraite. Pontchartrain n'y reçut à peu près personne, que sa famille et quelques intimes. Saint-Simon dit qu'il s'y « barricada tant qu'il put contre le monde... Il se levait à quatre heures du matin et se couchait à neuf du soir, et avait tellement distribué sa journée qu'il n'y avait pas un moment de vide. Il assistait fidèlement à tous les exercices de la maison; il bannit toute autre lecture que spirituelle... Tout occupé de son salut et de bonnes œuvres, il reprit une santé nouvelle, fit sans incommodité tous les carêmes, qu'il ne faisait plus depuis longtemps, était gai et d'aussi bonne compagnie que jamais avec le peu de ceux qui, de loin en loin, l'allaient voir, et qu'il renvoyait dès que la cloche sonnait, avec une précision de minute ». Il ne sortait de l'*Institution* que pour aller à Pontchartrain, où il vivait « dans la même solitude, et bien plus grande encore. » Germain Brice raconte qu'il y avait au château de Pontchartrain, donné par Louis XIV au chancelier, après avoir été dans le jardin des Tuileries, « une figure de marbre de la *Vérité* ».

Un seul passage des *Mémoires* évoque avec sympathie le maréchal de Villeroy, dont Saint-Simon dit ailleurs pis que pendre : Villeroy mène le petit roi

Louis XV visiter Pontchartrain, dans sa maison « joignante » à l'Oratoire, réservant à l'ancien chancelier un honneur que le roi ne faisait à personne. Il fallait que cet enfant vît « un homme qui, vert et sain, et en état de corps et d'esprit de figurer encore longtemps avec réputation dans le ministère et dans la place de chancelier et de garde des Sceaux, sans dégoût et sans crainte, avait su quitter tout ». Pontchartrain attendit le roi dans la rue, réussit à ce qu'il n'entrât pas chez lui, et après un quart d'heure le laissa pour ne le revoir jamais. « Chaque année, dit encore Saint-Simon dans une *Addition* à Dangeau, il resserrait sa vie et sa solitude, et jamais il n'a éprouvé ni ennui ni langueur, toujours gai, toujours content... »

D'autres jugèrent autrement cette retraite de Pontchartrain. « Il se retira par dévotion », reconnaît Dangeau, « pour songer uniquement à son salut », dit dans ses *Mémoires* le maréchal de Berwick, mais Mme de Maintenon déclarait n'avoir « point été surprise... Il dormait au Conseil... Il venait de perdre une femme qu'il aimait et estimait... Il se retira fort riche... » La dévote sans bienveillance avait peut-être raison. Dans une autre lettre, elle avait parlé jadis des « railleries fort aigres » de Pontchartrain, dont le caractère pouvait être, en effet, tel qu'on ne le soupçonnerait guère à lire Saint-Simon. Il avait eu des démêlés avec Bossuet, voulant soumettre ses livres à l'approbation d'un censeur, interdisant l'impression d'une de ses ordonnances, et à cette occasion le secrétaire de Bossuet s'étonne de la « hauteur » du chancelier. Un homme peu commode, « grand ennemi des louanges », dit Boileau en tête d'un sonnet qu'il lui consacre, mais où il le flatte, « cynique », a-t-on dit, dur, incontestablement, même avec des subordonnés aussi zélés que La Reynie, lieutenant général de Police, que personne n'accusa jamais de faire mal son métier, dont Pontchartrain écrivait : « Pareilles querelles d'Allemand ne me vont pas. Il ne doit pas compter que ses faux prétextes lui servent d'excuses là-dessus. » Pontchartrain le soupçonnait de « complaisance pour les protestants ». Quant à lui, il participa, sans aucun apparent scrupule, à la persécution de Mme Guyon, et à l'internement dans diverses prisons d'État de cette femme dont le crime était de se faire une idée à part de l'amour de Dieu ou plutôt, comme elle dit, de « l'amour d'aimer ». On prétend qu'il scella à regret les Lettres patentes qui détruisirent Port-Royal, où il y avait eu tant de sainteté rassemblée, mais enfin il les signa, et les pierres du cloître du monastère furent portées à Pontchartrain où on bâtit avec elles des écuries. Petit profit pour le chancelier qui, plus délicat, aurait pu s'en tenir pour déshonoré. Saint-Simon ne dissimule pas qu'il avait fait à la Cour une « prodigieuse fortune ». Il montre Pontchartrain recevant Boisguilbert, venu l'entretenir d'une réforme possible des impôts, et pour toute réponse, lui tournant le dos, ou encore « s'emportant » au sujet de la *Dîme royale* de Vauban. « Quand un pauvre homme, ruiné par une taxe veut lui demander quelque modération, raconte l'abbé de Choisy, il lui dit, avec un visage riant : Monsieur, il faut payer. » D'abord contrôleur général des Finances, il avait su faire argent de tout, surtout des charges qu'il faisait payer très cher à qui en voulait : « La marchandise est si bonne, disait-il rondement, qu'elle est vendue avant d'être créée... J'ai des gens en main... » Il aurait dit au Roi : « Toutes les fois que Votre Majesté crée une charge,

Dieu crée un sot pour l'acheter. » L'État endetté et proche de la catastrophe, remarque l'abbé de Choisy, Pontchartrain fut celui qui découvrit « le moyen de trouver cent cinquante millions par an avec des parchemins et de la cire, en imaginant des charges et en faisant des marottes qui ont été bien vendues ». On a signalé que « pendant toute son administration, le gouvernement se livra aux plus déplorables spéculations sur les monnaies [1] ». Sans doute l'avait-on pris pour cela, mais il ne s'oubliait pas, et faisait son beurre « de compte à demi avec les financiers ». A la mort de sa femme, il avait amassé deux millions de rente. Celui qui, impitoyable pour les autres, fait fortune au milieu de la ruine de l'État et grâce à la place qu'il y occupe, peut difficilement passer pour un modèle.

Où sont donc ce grand caractère, ce grand désintéressement d'un homme qui ne garde sa charge que par devoir et attend avec impatience de pouvoir quitter le monde ? Si Saint-Simon avait inventé Pontchartrain, cette invention même, et son insistance à y revenir, révéleraient d'autant mieux ce qu'il tenait pour beau et vrai. Dans les détestations d'un écrivain, bien des choses se mêlent et c'est cela qu'on étudie et analyse volontiers pour le mieux connaître, comme s'il n'y avait que cela. Saint-Simon, plus que tout autre, se prête à ce jeu. Mais les enthousiasmes, fussent-ils imaginaires dans leur prétexte, qu'en fait-on ? C'est surtout par ce qu'on ajoute à la réalité, en bien ou en mal, qu'on se trahit. Or c'est de Pontchartrain que Saint-Simon a écrit : « Il avait toujours eu l'intervalle entre la vie et la mort dans le cœur », et c'est à son

---

1. Pierre Clément, « Les successeurs de Colbert : Pontchartrain », *La Revue des Deux Mondes*, 15 août 1863, p. 916 à 945.

propos qu'il laisse paraître une émotion qui n'est plus colère et rancœur, mais admiration, respect, envie : « Jamais homme accoutumé de toute sa vie au grand monde, aux grandes occupations, au grand crédit, n'en abdiqua la totalité plus sans la moindre réserve, n'a plus continuellement resserré sa retraite », avant d'être reçu le 22 décembre 1727, à quatre-vingt-cinq ans, « dans les tabernacles éternels ». Voici enfin ce qui paraît prodigieux et admirable à Saint-Simon : ces « grandeurs d'établissement », conquises et possédées ici au plus haut point, et dépouillées, méprisées, sans regret. Nous n'en sommes plus à savoir si les bâtards du Roi « traverseront le Parquet », ou si pour s'adresser aux ducs et pairs on soulèvera son bonnet, Versailles disparaît, une porte nous est ouverte sur un autre royaume et il en vient une grande lumière : le vieux Pontchartrain si heureux parce qu'il a secoué sa charge et préparé dans la solitude son éternité, meurt content, ayant su dès ici-bas se donner à la vérité qui comble, en refusant le monde.

*

Retiré chez les Camaldules de Grosbois, « ce que je fais ? » disait Fieubet, conseiller d'État, « je m'ennuie ». Tous les refus ne sont pas bons, toutes les retraites ne sont pas admirables. « Une retraite si hargneuse, et dont Dieu n'était pas l'objet, écrit Saint-Simon, ne put durer... » Beaucoup de départs pour la solitude, en ce temps-là, c'était une sorte de mode. Certains en éprouvaient vite « le poids et le vide », et ne persévéraient que « par la honte de la variation ». Alceste veut « fuir dans le désert ». La princesse de Clèves, dit Mme de La Fayette dans son roman, avait fini sa vie dans une « maison religieuse », une partie de l'année, « et l'autre chez elle, mais dans une retraite et dans des occupations plus saintes que celles des couvents les plus austères ». On voit que le cas de Pontchartrain était presque un lieu commun littéraire, et on se faisait des *déserts* à bon compte, et pas trop loin. Port-Royal, dans la vallée de Chevreuse, en était un, « de prodigieuses montagnes » l'entouraient, dit une relation de l'époque, mais à Port-Royal de Paris, plus accessible, les séjours que faisait Mme de Guémené, dit le cardinal de Retz, étaient « des escapades plutôt que des retraites ». Les libertins se moquaient de ce prétendu mépris du monde. Bussy-Rabutin raconte dans son *Histoire amoureuse des Gaules* une partie de débauche qu'il fit un vendredi saint, à la campagne, et où il dit à ses compagnons : « Je suis bien aise de vous trouver détachés du monde comme vous êtes; il faut des grâces particulières de Dieu pour faire son salut dans les embarras des Cours », et découvrit le lendemain deux de ses amis couchés ensemble, l'un d'eux, qu'il nomme Giton, lui disant : « Je tâche de profiter des choses que vous dîtes hier, touchant le mépris du monde; j'ai déjà gagné sur moi d'en mépriser la moitié. » Mais la raillerie des libertins était sévèrement jugée, et Bussy-Rabutin fut disgracié. On allait donc en solitude, on disparaissait un moment, comme certains vont aujourd'hui où il faut au contraire être vu. Bourdaloue s'en prit à cette mode, dans son sermon sur la *Sévérité évangélique* : « On se retire du monde, mais on est bien aise que le monde le sache; et s'il ne le devait pas savoir, je doute qu'on eût le courage et la force de s'en retirer. »

Cette force souvent vous quittait. « On s'échauffe la tête dans la solitude, écrivit Fénelon, et les croix de paille y deviennent des croix de fer ou de plomb. » Le duc de Brancas passa plusieurs années à l'abbaye de Bec, en Normandie, puis à l'*Institution* de l'Oratoire, comme Pontchartrain, mais « ce pauvre homme trop faible et trop léger », dit Saint-Simon, en sortit et se maria. Ce fut la mort de sa femme qui conduisit Lassay, désespéré, « dans la plus grande solitude auprès des Incurables ». « Quelques années le consolèrent, il s'aperçut qu'il n'était qu'affligé, et que la dévotion passait avec la douleur... Il ajusta sa petite maison, égaya sa solitude », et adorant à nouveau ce qu'il avait brûlé, « se fourra dans les parties obscures » du duc de Bourbon dont il épousa en troisièmes noces la demi-sœur, une bâtarde du prince de Condé. Voici sa fin : « Ce pauvre flatteur se cramponnait au monde qu'il fatiguait, et mourut enfin en homme qui avait quitté Dieu pour le monde. » Son fils était l'amant officiel de la duchesse de Bourbon, père et fils mêlés ainsi à la Maison de Condé, par la bande. L'hôtel de Lassay, qu'on leur doit, ne pouvait n'être qu'une annexe du Palais-Bourbon. Sainte-Beuve, dans une étude excellente des *Causeries du lundi* [1] cite ce mot mélancolique de Lassay, vieillissant : « Je m'en irai sans avoir déballé ma marchandise », et cet autre, qui résume la vie du personnage : « On méprise le monde et on ne saurait s'en passer. »

« Un grand loisir qui tout à coup succède à des occupations continuelles, écrit Saint-Simon, forme un grand vide qui n'est pas aisé ni à supporter ni à

---

1. T. IX, « Le marquis de Lassay », p. 162 à 203.

remplir. Dans cet état l'ennui irrite et l'application dégoûte... » Les résolutions s'évanouissent. Mme de Caylus, nièce de Mme de Maintenon, sur qui Dieu avait « répandu tant de grâces », revint ainsi à la Cour, se divertit, se dissipa, et a laissé des *Souvenirs* légers qui ont enchanté Voltaire. Alors qu'elle était éloignée de la Cour, Racine soupait avec elle et la trouvait « toute brillante de jeunesse et de beauté » : il faut alors de fortes raisons pour renoncer au monde. Elles ne le furent pas assez pour Mme de Caylus.

D'autres se retiraient par dépit ou lassitude. Un gentilhomme de Picardie s'était enfermé chez lui, au lit, à faire de la tapisserie : « Il y mourut dans cette désespérance de vie. » Il y avait des retraites forcées : Bussy-Rabutin, chassé de la Cour, n'était plus qu'un homme, à en croire Saint-Simon, « qui fait le philosophe et le tranquille au fond de son désespoir ». Il était de ceux dont parle Pascal qui, renvoyés « à leur maison des champs », y connaissent le malheur de vivre dont les avait sauvés jusque-là le « divertissement » : « personne ne les empêche de songer à eux », la pire des disgrâces. Il y avait aussi les retraites prématurées, celle du duc de Luynes « à moins d'une portée de mousquet de Port-Royal », qui ne dura pas, ou éclatantes, celles de Mme de La Vallière aux carmélites de la rue Saint-Jacques, ou de Mme de Montespan qui « en vint à donner presque tout ce qu'elle avait aux pauvres » : elles ne touchent guère Saint-Simon, ces repenties célèbres étant moins « dégagées des chaînes du monde » qu'elles ne le croient, par l'éclat, précisément, de leur conversion. Certaines retraites étaient folles : enfermé dans ses terres, le duc Mazarin « devint la proie des moines et des béats », mutilant les statues et barbouillant les tableaux qu'il jugeait immodestes, interdisant à ses fermières de traire les vaches, ce qui leur aurait donné de mauvaises pensées, voulant faire arracher les dents de ses filles, de peur que leur beauté ne devienne leur damnation, et promenant enfin le corps mort de sa femme « près d'un an avec lui de terre en terre », avant de mourir lui-même, « et ce ne fut une perte pour personne », dit Saint-Simon. « C'est un fou, il est habillé comme un gueux, la dévotion est tout de travers dans sa tête. » Voilà ce que pensait de lui Mme de Sévigné.

*

Dans un livre très ingénieux, *Le Dieu caché*, Lucien Goldmann a parlé de ces retraites hors du monde qui furent le fait de nombreux Jansénistes, et où il ne voit guère qu'opposition politique. Joseph de Maistre l'avait précédé : « Quelques sectaires mélancoliques, aigris par les poursuites de l'autorité, imaginèrent de s'enfermer dans la solitude pour y bouder et y travailler à l'aise. » M. de Troisville (on prononçait : Tréville, avertissent les contemporains) s'était enfermé à l'*Institution*, et Louis XIV en demanda la raison à Bossuet : « Je répliquai : Une profonde considération sur les misères du monde, et sur ses vanités souvent repassées dans l'esprit. » Selon Lucien Goldmann ces retraites, plus précisément, résulteraient de l'impossi-bilité constatée d'une « vie valable dans le monde ». Ceux qui prenaient ce parti auraient été, pour la plupart, des gens de robe, membres des parlements, « officiers », jusque-là support et alliés de la monarchie

153

tempérée, le « tiers état supérieur », avait déjà dit Sainte-Beuve, à qui les progrès de la monarchie absolue, qui n'avait plus besoin que d'une bureaucratie docile, interdisaient désormais de « faire carrière ». Le premier des solitaires, Antoine Le Maître, n'aurait été qu'un ambitieux éconduit.

En fait, ni les circonstances de sa retraite, ni les lettres qu'il écrivit alors à son père et au chancelier, ne témoignent d'une telle déception. Antoine Le Maître quittait le monde, disait-il, à trente ans, « lorsqu'il avait diverses espérances d'une fortune très avantageuse, honoré d'une affection particulière de quelques Grands du royaume ». Arnauld d'Andilly, autre solitaire, mais après avoir longtemps fréquenté la Cour, à la première page de ses *Mémoires* se dit « persuadé du néant des choses du monde », mais il tint au monde jusqu'au bout, par des lettres, des visites, des envois de fruits qu'il cultivait : rien d'amer chez lui, de déçu, aucune mauvaise humeur, tout le contraire. Il est vrai que dans son *Abrégé de l'histoire de Port-Royal*, Racine ne présente les solitaires retirés à Port-Royal que comme « dégoûtés de la Cour », ou « dégoûtés du monde ». « Un grand mépris du monde, et un dégoût insupportable de toutes les personnes qui en sont », écrivait Jacqueline Pascal à propos de son frère. Leur choix semble donc un pis-aller, et ceci va dans le sens de Lucien Goldmann. Les Jansénistes auraient ainsi condamné le monde, et les meilleurs d'entre eux l'auraient quitté, par mécontentement ou découragement, émanation d'une classe écartée du pouvoir.

C'est oublier que les grands commis de Louis XIV étaient, eux aussi, des gens de robe, et que par eux cette « noblesse de robe » était plus proche du pouvoir que jamais, comme elle l'avait été déjà sous Mazarin : Saint-Simon ne se lasse pas de le déplorer. Le fils d'Arnauld d'Andilly n'est autre que le ministre Pomponne, et Pontchartrain, quand il se retira, avait mené à bien la plus belle des carrières. « Je n'espère rien du monde, je n'en appréhende rien, je n'en veux rien », écrivait Pascal dans la dix-septième *Provinciale*. Était-il déçu ? Ce serait mal le connaître, vivant d'une autre certitude, d'une autre présence qui le comblait : « Joie, pleurs de joie... » Détester le monde n'explique pas tout et n'a rien, en soi, de religieux : Mme de Sablé, qui avait vécu aux confins de Port-Royal sans s'y agréger vraiment, celle qui avait si peur de la mort, selon Saint-Simon, qu'il ne fallait jamais « lui nommer ce vilain mot », disait : « Il faut une grâce pour quitter le monde, mais il n'en faut point pour le haïr. » Je lis dans une lettre de Mme de Sévigné que Turenne, partant pour sa dernière campagne où il devait mourir, aurait dit au cardinal de Retz : « Monsieur, je ne suis point un *diseur :* mais je vous prie de croire sérieusement que sans ces affaires-ci, où peut-être on a besoin de moi, je me retirerais comme vous ; et je vous donne ma parole que si j'en reviens, je ne mourrai pas sur le coffre, et je mettrai à votre exemple quelque temps entre la vie et la mort. » Or Turenne était au comble de sa gloire.

L'hypothèse de Lucien Goldmann découle évidemment du postulat marxiste selon lequel le fait religieux n'est pas un fait spécifique, et ne peut être que l'épiphénomène d'une situation économique. En tout cas elle ne s'applique en rien aux retraites hors du monde dont je veux parler, celles qui ont tant frappé Saint-

Simon et qu'il rappelle avec tant de chaleur : voici des hommes qui avaient « fait carrière », qui pouvaient souvent espérer mieux encore, bien en cour, nullement amers, aigris ou mécontents. C'est de gaieté de cœur qu'ils s'en vont. Alors seulement leur décision est exemplaire.

*

Il faut avoir assez vécu pour connaître ce qu'on laisse, et le juger, ce ne doit pas être un entraînement passager, un coup de folie ou un coup d'éclat, que de quitter le monde, mais une résolution réfléchie et calme, un choix qui a un sens et un but, non un renoncement mais un progrès et une adhésion joyeuse, un parti pris si fort que la volonté ne fléchira pas, et cet abandon sera sans regret ni retour. Il ne s'agit pas d'expier une vie de péché par une grande pénitence, mais de passer en connaissance de cause de l'illusion à la vérité, et de consacrer ce qui reste d'une vie qui a pu être tout unie, ce qui ne veut pas dire irréprochable, à une « continuelle préparation à la mort », ce qui n'exclut pas la gaieté, bien au contraire, et n'implique même pas une austérité sévère. Le conseiller d'État Courtin, après avoir passé « toute sa vie dans les affaires et dans le grand monde », ne sortit plus de chez lui, voulant « absolument », dit Saint-Simon, « mettre un intervalle entre la vie et la mort ». Il franchit simplement un certain seuil, et se tourna, seul à seul, vers ailleurs.

Claude Le Peletier, contrôleur général des Finances, vit qu'on allait le nommer chancelier, sommet de sa carrière. « Esprit médiocre », remarque Saint-Simon, il « fit ses réflexions : il avait toujours eu dessein de mettre un intervalle entre la vie et la mort ». Un chancelier, si l'on s'en tenait aux usages, « ne pouvait se retirer ». Le Peletier prit donc les devants, et en dépit des instances du Roi, disparut, consacrant ses dernières années aux pieuses lectures, à la prière, et à son jardin. « Je suis jardinier, écrivait-il, c'est une inclination que j'ai eue toute ma vie. » Saint-Simon continua à le voir, de loin en loin, « avec plaisir et respect pour sa vertu ». Il remarquait en lui une « sérénité tranquille et douce ». Cette retraite fut bien moins soudaine que ne le dit Saint-Simon, nous apprend M. Jean Orcibal dans les notes de son édition, si remarquable, de la *Correspondance* de Fénelon : ce qui m'intéresse, c'est l'idée que s'en fit Saint-Simon.

Catinat vécut retiré près de Saint-Denis, ne recevant presque plus personne, étonnant ceux qui le voyaient « par le mépris du monde, par la paix de son âme », et ayant « mis sa philosophie à profit par une grande piété ». Un autre maréchal, Rosen, se fit bâtir une petite maison au bout de ses jardins, dans une terre qu'il avait en Alsace, et s'y retrancha « pour ne plus songer qu'à son salut ». « Il voyait quelquefois la compagnie au château, et se retirait promptement chez lui, passant sa journée en exercices de piété, en bonnes œuvres, et à prendre l'air à pied et à cheval... Il passa ainsi quelques années dans une parfaite santé de corps et d'esprit, se préparant soigneusement à une meilleure vie, où il entra par une courte maladie, content de sa vie, de sa fortune, de sa famille, de sa considération jusqu'au bout, et ayant grand sujet de l'être. » La marquise de Créquy, après avoir beaucoup fait parler d'elle, devint loin de la Cour « la plus retirée, la plus modeste, la plus prodigieuse aux pauvres et la plus avare pour elle-même; sans cesse en prières chez elle ou à l'église; assidue aux prisons, aux cachots, aux hôpitaux, dans les plus horribles fonctions de la nature », et découvrant là « une paix et une joie singulière ». L'évêque de Troyes était « un homme fait pour le monde, qui en fut extrêmement goûté, et qui en fut lui-même passionné... Une longue vie de jeu, de dames, de bonne chère et de dissipation peu décente... Enfin Dieu le toucha... » Il s'en alla, mais fut repris par la Cour, redevint à la mode, enfin rompit. Il s'enferma dans une maison qu'il avait louée, près des Chartreux : « Dans une solitude entière et uniquement occupé de prières, de saintes lectures, de peu de bibliothèque, de beaucoup d'aumônes et de bonnes œuvres, sa tête et ses yeux suffisant à tout, il a attendu la mort dans une heureuse et sainte vieillesse de corps et d'esprit. » L'abbé Vittement était sous-précepteur du petit roi Louis XV, qui éprouvait pour lui une affection qui porta ombrage à Fleury, lequel la voulait toute à lui : il suggéra à Vittement de s'éloigner. « Il le fit sur-le-champ avec joie, à la Doctrine Chrétienne d'où il ne sortit plus. »

Avec joie, c'est le mot clef. A propos de Pontchartrain, Saint-Simon avait parlé de sa gaieté, et remarqué qu'en quittant la Cour il avait le cœur « bien au large ». D'un portrait à l'autre, presque les mêmes mots, les mêmes traits, et surtout cette paix, ce contentement de qui est parvenu au port. Ce n'est pas l'univers tragique évoqué par Lucien Goldmann, qui serait celui du pur jansénisme, où on quittait tout pour rien, puisque Dieu n'existe pas.

Ici, les termes sont inversés, on trouve, il n'y a pas « vision tragique » parce qu'illusoire, mais certitude heureuse. Avant de mourir saintement, le marquis de Janson vécut près de vingt ans dans un couvent de Minimes, en Provence, « toujours au chœur, jour et nuit, et au réfectoire comme eux, peu au jardin, toujours à lire ou à prier dans sa chambre..., toujours gai ». On décèle cette gaieté qui est à la fois une marque et un signe jusque chez Louis de Ligny, comte du Charmel, dont Saint-Simon n'approuve guère « l'austérité âpre », la « pénitence horrible », de même qu'il estimait dans son refus du monde le duc de Roannez « trop extraordinaire ». (« Si je marchais, écrit Mme Guyon, je mettais des pierres dans mes souliers. ») Du Charmel, grand joueur, initié « avec la fleur de la Cour », ayant peu d'esprit « que couvrait un grand usage du monde », fut converti « comme par un coup de foudre » grâce à un ouvrage édifiant « que la Providence lui fit tomber sous la main ». Dans une *Addition* à Dangeau, Saint-Simon avait dit déjà que « Dieu permit que, sans dessein, il lût le *Traité de la vérité de la Religion chrétienne* d'Abbadie ». C'était un pasteur de l'Église réformée. « Les plus beaux livres du monde, assurait Mme de Sévigné, Abbadie, Pascal... » Vers la fin de sa vie Bussy-Rabutin, s'ouvrant à des sentiments religieux après beaucoup de libertinage, s'enchantait lui aussi du livre d'Abbadie. A cette lecture, le comte du Charmel « quitta tout, malgré le Roi, abdiqua ses amis, il s'enfuit du monde, se retira à l'*Institution*, et a mené pendant plus de trente ans jusqu'à sa mort la vie la plus pénitente et la plus sainte ». Ce fut, précise Saint-Simon, « un homme à cilice, à pointes de fer, à toutes sortes d'instruments de continuelle pénitence », et d'inventions « pareilles », et cependant « toujours gai, toujours libre et aisé ». Heureux, ils l'étaient tous, pour avoir délibérément et sans autre raison que l'illumination de la vérité, trouvé Dieu dans la solitude.

Religion singulière ? Elle peut le paraître de nos jours, où la plupart des ministres qui lui restent parlent surtout de s'insérer dans la société, de faire corps avec elle, d'être présent au monde, d'accroître l'esprit communautaire, et donc de se rencontrer toujours davantage, de débattre ensemble, d'agir ensemble, de vivre ensemble, et les uns pour les autres de manière à lutter d'abord contre les injustices du monde qu'il s'agit de changer et de rendre meilleur, non d'abandonner. Tout cela excellent, mais à quoi suffit une bonne morale civique ou humanitaire. C'était la morale, infiniment respectable, des instituteurs de la Troisième République, qui se passaient de Dieu. A entendre les prônes des prêtres de maintenant, on revit les cours d'éducation civique des lycées de notre jeunesse, pour qui nous avons gardé une tendresse bien grande. Mais nous n'avons pas besoin de prêtres pour cela, et où est donc chez eux le feu de Dieu, cette folie ? Si la religion n'est pas un vain mot, elle ne peut être qu'autre chose.

Une *Addition* de Saint-Simon à Dangeau dessine un personnage qui ne paraît pas dans les *Mémoires*, le chevalier de Gesvres, qui se « retira peu à peu du monde », et définitivement à la mort du Roi, qu'il avait coutume de venir saluer, par un reste de bienséance. Voici quelle était sa vie : « D'amis et de société, point, de campagne, nulle ; sa maison et sa paroisse de Saint-Jacques-du-Haut-Pas, et son confesseur au confessionnal, sans jamais aller ailleurs ni sortir de sa maison, sans voir qui que ce soit et sans se dissiper par rien hors de sa chambre, sous prétexte de bonnes œuvres. Du reste, la vie commune, sans austérité... » On parvient ici à la fine pointe d'une résolution et d'un choix qui fascinèrent Saint-Simon puisqu'il y insiste tant : la charité même en semble exclue (mais, pour un chrétien, la prière continuelle est un acte de charité), puisque le chevalier de Gesvres évitait jusqu'aux « bonnes œuvres » qui auraient pu le raccrocher au monde. Saint-Simon conclut : « C'était bien là une vie cachée en Dieu et ensevelie avec Jésus-Christ. » Ainsi de la comtesse de Gramont : « Ses dernières années furent toutes à Dieu. » Ou encore de M. et Mme de Liancourt, « disparus de la cour sans retour » : « ils mûrirent ainsi pour l'éternité. » Le Père de Chévigny, oratorien, quelque peu teinté de Jansénisme, se retira chez les La Rochefoucauld, à Liancourt, et y finit sa vie dans la solitude et la prière, « toujours gaiement et avec liberté ». Partir, disparaître à temps, tourner le dos à Versailles, c'était pour Saint-Simon se défaire de l'inutile, renoncer à l'illusoire et à la « vanité des fortunes », parvenir dès à présent à un autre monde où la vérité donne une joie qu'on chercherait en vain dans ce monde-ci. On reçoit alors cette récompense, ce miracle : on est gai. Mme de Caylus, pendant les années où elle avait abandonné le monde et l'intimité de Mme de Maintenon et du Roi, avait été, elle aussi, « toujours gaie ».

Était-ce vrai ? Saint-Simon le redit en toute occasion, voilà ce qui importe. Il y avait des ambitieux à Versailles, des satisfaits, des magnifiques, des fastueux, des femmes à tabouret qui exultaient d'être assises quand les autres ne l'étaient pas, des cardinaux que leur chapeau enivrait, de grandes entrées pour certains, des ministres très sûrs d'eux (comme ils sont toujours), des nuées de valets, beaucoup de grands seigneurs, quelques aventuriers, mais des hommes qui y vivaient *gaiement*, pas un. Et surtout pas Saint-Simon, bien entendu.

*

Il ne se déprit jamais du monde et de la Cour. C'est à quoi nous devons ses *Mémoires* et tant de traités sur les ducs et pairs. En août 1753, deux ans avant de mourir et âgé de soixante-dix-huit ans, il écrivait encore un *Mémoire sur les honneurs*, où il distinguait les honneurs « conquis », « manqués », « refusés », « accordés ».

Sans doute, le Régent mort, alla-t-il rarement à Versailles. En 1726, il confiait au cardinal Gualterio : « Je n'y couche qu'une nuit, et j'y vois passer le Roi seulement, allant ou revenant de la messe; j'y vois M. de Fréjus et un très petit nombre d'amis particuliers, et je reviens dîner à Paris. » A l'évêque de Fréjus, précisément, le cardinal Fleury, il écrivait en 1728 que peu de gens de son âge « vivent dans une plus constante retraite dans Paris, et tant que je le puis habitant ma campagne ». Il ignore « le plus souvent ce qui se passe », « n'aspire à rien », tient sa dignité de duc et pair pour « éteinte », et lui-même « pour mort ».

Mais il noircit des pages d'écriture, il continue à se battre pour ce qui aura passionné sa vie, cette « dignité » à laquelle il a renoncé moins que jamais, et ne pouvant mieux, fait le compte et le récit de ses défaites, de ce passé si vivant pour lui qu'il en parle aussi faussement que s'il était en pleine bataille, alors que personne ne semble plus s'en souvenir et s'en soucier, ni vouloir se battre. Le sort en était donc jeté, il n'était plus rien à la Cour, mais comment penser à autre chose ?

Il raconte qu'il faisait « six mois ses délices de sa maison de La Ferté », passant le reste de l'année à Paris, « avec ses amis et ses livres, allant une fois ou deux dans l'année à la Cour », et connu désormais pour « sa conduite séparée et retirée sans se mêler de rien ». Comment s'imaginer ailleurs, cependant, qu'à Versailles, quitte à n'y faire qu'une apparition de convenance de temps à autre, mais à s'y retrouver et à s'y délecter, chaque fois qu'on est devant une feuille blanche et la plume à la main, ou qu'on dicte et fait revivre cette mécanique si détraquée, si scandaleuse, si étonnante. Jamais il n'y eut chez Saint-Simon cette rupture qu'il admirait chez les autres. Il disait être « dans cette situation qu'il appelait d'un homme mort au monde », mais ajoutait qu'il n'y était pas moins « craint et compté ». Il le croyait. En 1734, il se présente dans une lettre au marquis de Fénelon comme ayant « renoncé à tout secret et à toutes affaires », mais reconnaît que « la plus tranquille retraite n'empêche pas de s'amuser à voir de loin les mouvements du monde dont on est délivré ». Il prétend que le cardinal Fleury lui parlait volontiers, et des affaires du moment, davantage même qu'il ne l'aurait souhaité, le suivant jusqu'à la porte plutôt que de s'interrompre, et « assez souvent quelque peu debout devant la porte avant de l'ouvrir ». Fleury le connaissait comme tout le monde : passionnément intéressé, avide d'entendre et de faire parler, et peut-être lui faisait-il la charité du seul plaisir que pouvait encore avoir ce vieil homme. Le règne de Louis XV le stupéfiait par l'ascension de tant de gens partis de si bas et parvenus si haut, à la Cour comme à la ville. Il discernait sans doute possible l'origine du mal, qui avait pris naissance un siècle plus tôt, quand avait été acceptée, puis organisée, la confusion de tous les rangs. Lui seul pouvait être l'historien de ce temps, de cette décadence, parce que lui seul voyait clair. Les descendants des roturiers qu'il avait connus si rampants, mais déjà au seuil de la place, devenaient en apparence grands seigneurs et tranchaient de tout, comme si quoi que ce fût pouvait effacer la tare d'une naissance obscure, et ce Voltaire, sorti d'une étude de notaire, c'est-à-dire de la fange, commençait son envol. Ses *Mémoires*, ébauchés jadis, que Saint-Simon reprend et écrit pendant quelque dix ans, seront le constat de ce naufrage d'un monde, et le ramenaient à Versailles où il remettait ses pas dans ses pas, entouré de tant de morts si présents, dans les galeries, les degrés, les antichambres dont il n'était jamais sorti, faux solitaire, condamné à une fausse retraite, et évoquant avec des mots sublimes « la figure trompeuse de ce monde » qui n'avait pas cessé de le fasciner.

Il serait absurde de reprocher à Saint-Simon d'avoir conformé sa vie si mal à ce qu'il savait être la vérité, et d'écrire ce qu'il n'avait pas fait : nous en sommes tous là. « Je veux tout quitter et me retirer de la Cour et du monde; Mme de Saint-Simon m'en empêche sagement. » C'était à la mort du duc de Bourgogne, et ce ne fut pas la seule fois. On le forçait à rester, dit-il, « comme on force un cerf ». Il voulait partir, on s'interposait, et il se laissait faire, non pas traqué mais complice. Il connaissait ses contradictions : « J'éprouvai alors le néant des plus désirables fortunes par un sentiment intime qui toutefois marque combien on y tient. » Une œuvre faite, et laissée aux hommes qui pourront s'en nourrir, est une justification suffisante, et enviable. Vivre dans un monde qu'on méprise, à la Cour, était-ce nécessairement trahir ?

*

« Rien n'est plus aisé, écrivait Pascal, que d'être dans une grande charge et dans de grands biens selon le monde; rien n'est plus difficile que d'y vivre selon Dieu, et sans y prendre de part et de goût. » Le duc de Beauvillier et le duc de Chevreuse avaient épousé les deux sœurs, filles de Colbert, mariages d'intérêt et d'argent, comme d'habitude. « Les mariages ont assez d'épines... », dit Fénelon dans *Télémaque* : ceux-ci tournèrent bien. Tous quatre n'étaient « qu'un cœur, une âme, un sentiment, une pensée », et l'orientation et le tissu de leurs quatre vies étaient identiques, paraissant dans tout ce qu'ils faisaient et jusque sur leurs visages : ils vivaient dans le plus grand crédit auprès du Roi, mais intérieurement dans un autre monde, « ne perdant jamais la présence de Dieu au milieu de la Cour et des affaires ». Ils y remplissaient leurs charges et ne négligeaient rien des devoirs que leur imposait leur rang, non seulement occupés, dit Saint-Simon, mais plutôt « noyés dans leurs devoirs », et vivant cependant « comme dans un ermitage, dans la plus volontaire ignorance de ce qui se passait autour d'eux ». Saint-Simon remarque : « Malheureusement pour moi, la charité ne me tenait pas renfermé dans une bouteille comme les deux ducs. » C'est dire, entre eux, toute la différence. Mais enfin, on pouvait donc vivre à Versailles ? « En solitude au milieu du monde... », disait Bossuet à la sœur Cornuau, alors qu'elle se trouvait à Paris, chez le duc de Chevreuse.

Lorsque La Bruyère veut montrer ce qu'était à la Cour un homme de bien, il accumule des traits que toutes les « clefs » de ses *Caractères* attribuent au duc de Beauvillier. Il était « doux, modeste, égal, dit Saint-Simon, poli avec distinction, assez prévenant, d'un accès facile et honnête jusqu'aux plus petites gens, ne montrant point sa dévotion, sans la cacher aussi, et n'en incommodant personne... Depuis que Dieu l'eut touché, ce qui arriva de très bonne heure, je crois pouvoir avancer qu'il ne perdit jamais sa présence ». Dieu était « l'objet unique auquel il rapportait ses plus importantes et ses plus petites actions... Jamais il ne vit rien qu'en Dieu et par rapport à Dieu ».

Beauvillier fut pour beaucoup dans la conversion et l'entrée au Carmel de la duchesse de La Vallière. Son âme, dit Saint-Simon, était « sans cesse lancée vers Dieu ». Il ne se souciait nullement de « prêcher », même ses plus intimes, mais quelque chose émanait de lui, un trop-plein de richesse intérieure, et jamais peut-être on n'a exprimé, même les plus grands mystiques, en termes plus parlants cette communication de la Grâce, cette contagion de la Foi, que ne le fait Saint-Simon à propos du duc de Beauvillier dans une *Addition* à Dangeau où chaque mot est à retenir : « Il partait de sa plénitude des traits courts, mais brûlants, qui malgré lui, dans ses entretiens familiers et fort libres, sortaient au-dehors, ou plutôt se décochaient de l'abondance de son âme. » La Foi, c'est cela ou rien, et quand je parlais tout à l'heure du *feu de Dieu*, je pensais déjà au duc de Beauvillier. « Il ne passait pas pour très intelligent », note M. Jean Orcibal. C'est possible.

On n'aurait rien dit de tel du duc de Chevreuse qui, lui, avait été élevé à Port-Royal. Il en avait gardé, pense Saint-Simon, toujours la marque, mais « jusqu'à un certain point » seulement, puisqu'il devint si sensible « aux prestiges de la Guyon et aux fleurs de Monsieur de Cambrai », qui étaient l'école rivale. Sa mère, née Séguier, était morte à vingt-sept ans, toute dans le Seigneur, et fut inhumée à Port-Royal. Son père, le duc de Luynes, s'était alors retiré des années « dans le voisinage et sur le fonds même de Port-Royal-des-Champs » (Racine), au petit château de Vaumurier, avant d'en sortir, comme je l'ai noté plus haut, et de se remarier, ce qui n'avait pas été bien vu de tout le monde à Port-Royal, mais « il en conserva l'affection et la piété ». C'est à lui qu'Arnauld avait adressé sa *Seconde Lettre à un duc et pair*, avant de céder la plume à Pascal qui écrivit sans doute chez le duc de Luynes, à Vaumurier, sa seizième *Provinciale*. Le duc de Luynes pria ces Messieurs de Port-Royal « de prendre soin de l'instruction de son fils ».

Chevreuse reçut ainsi « la plus parfaite éducation des plus grands maîtres en ce genre. Ces Messieurs y mirent tous leurs soins par attachement au père ». La fameuse *Logique ou l'Art de penser*, rappelle l'Avis liminaire de ce livre, fut d'abord imaginée pour lui par Arnauld, comme « une espèce de divertissement » qui faciliterait ses études, et il eut pour précepteur Lancelot, qui prit part à tant d'autres ouvrages nés de Port-Royal, *Grammaire, Méthodes, Traités.* Il y avait donc chez le duc de Chevreuse, qu'il le voulût ou non, la marque sainte du premier Port-Royal, et il était resté longtemps tourné « de ce côté-là », lui rappelait Fénelon. « Les gens que vous avez le plus écoutés autrefois, lui disait-il, des gens qui sont raisonneurs et rigides... » Chevreuse en vint à aider Fénelon à les combattre. « C'était un composé bizarre à cet égard », écrit Saint-Simon.

Le voici à la Cour, si proche de son beau-frère Beauvillier, bien que venant d'un horizon différent. « Il offrait, dit Saint-Simon, tout à Dieu, qu'il ne perdait jamais de vue, et dans cette même vue il dirigeait sa vie et toute la suite de ses actions. Jusqu'avec ses valets il était doux, modeste, poli ; en liberté dans un intérieur d'amis et de famille intime, il était gai et d'excellente compagnie sans rien de contraint pour lui ni pour les autres, dont il aimait l'amusement et le plaisir, mais si particulier par le mépris intime du monde... » Chevreuse, autre signe, « voyait tout en beau », « tout en blanc », dit Saint-Simon, il n'imaginait pas le mal, ne le concevait pas, ne pouvait y croire, à la fois savant, « géomètre », et enfant. Le duc de Luynes, son père, avait traduit du latin les *Méditations* de Descartes, et lui-même apprit à Port-Royal à raisonner par ordre : il partait, dit Saint-Simon, de prémisses toujours fausses, et en tirait des déductions dont la rigueur éblouissait. Chevreuse se ruina, prétend Saint-Simon, « géométriquement par règles, par démonstration ». Rien dans ce domaine ne pouvait altérer l'insouciance de ce « cœur bon et tendre ». On peut supposer qu'il fut sensible à la poésie, puisqu'il protégea Racine qui lui dédia *Britannicus*, mais à qui il empruntait de l'argent. *Vir illustrissimus, summaque dignitate praeditus*, ainsi le définissait Bossuet, dans un Mémoire sur le Quiétisme, envoyé à Rome : un vrai grand seigneur, digne de l'être, ce qui ne courait pas les rues. Autant Beauvillier était sérieux, appliqué, et froid, ne connaissant d'autre divertissement à son travail que « quelque musique d'airs tristes », autant Chevreuse était enjoué, facile et distrait : aucune ressemblance, donc, entre les deux beaux-frères, si ce n'est pour l'essentiel. Le duc de Chevreuse s'adonnait à de graves études, mais s'y perdait dans les détails, oubliant les heures dans son cabinet de travail. « L'esprit n'a pas moins besoin de jeûner que le corps, lui écrivait Fénelon. Coupez court... » Il lui conseillait de « jeûner de raisonnement ». Saint-Simon relate dans une *Addition* à Dangeau qu'il « n'avait jamais su de sa vie quelle heure il était », dernière touche au portrait : Chevreuse vivait déjà dans l'éternité, le temps n'avait pas d'importance, quoique très occupé des affaires du temps, écrivant force Mémoires, en recevant d'autres de Fénelon, construisant avec lui un avenir qui ne vint jamais. « Jamais homme ne posséda son âme en paix comme celui-là, dit Saint-Simon. Comme dit le psaume, il la portait dans ses mains. » Il mourut « au milieu des prières, des sacrements, d'une application continuelle à Dieu et dans le sein de sa famille qui l'adorait ».

La retraite définitive, loin de Versailles, avait été pour les deux gendres de Colbert, ce ministre à la réussite et au destin si prodigieux, la tentation de toute leur vie. Saint-Simon parle de la « clôture de monastère qui les suivait au milieu de la Cour », et Fénelon, dans une lettre à Chevreuse, de leur « retranchement ». Il y avait toujours eu chez eux « un goût et un penchant entier à la retraite », et ce penchant était si fort qu'ils en étaient arrivés à subsister à Versailles d'une manière « tout à fait indécente à leurs emplois », et à part, ignorant tout de « cette horrible dissipation où l'on ne peut éviter d'être à la Cour » (Lettre de Racine à son fils). Beauvillier était chef du Conseil des Finances, et ministre d'État, Chevreuse, « ministre d'État incognito » qui n'entrait pas au Conseil, mais à qui le Roi confiait tout, soit en « audiences longues et continuelles », soit « en conversation suivie à l'oreille ». L'un et l'autre restaient par devoir. « L'ardeur de leurs désirs d'être utiles à la gloire de Dieu, à l'église, à leur propre salut, le leur fit croire de la meilleure foi du monde attaché à demeurer. » Familier des deux beaux-frères, témoin direct cette fois, Saint-Simon n'exprime ici que la vérité, les lettres de Beauvillier au maréchal de Bellefonds, notamment, en témoignent. Il s'y peint lui-même comme « un homme engagé par l'ordre de Dieu à vivre dans le lieu où je suis... Souvenez-vous de moi devant Dieu... Qu'il me fasse la grâce de ne pas le perdre de vue dans les actions nécessaires à mon état, qui paraissent le plus éloignées de lui en apparence... Sans ce remède, toute ma vie ne sera qu'un tissu de choses mauvaises et d'inutilités ». Il lui écrivait encore : « Je m'accoutumerais si aisément à oublier tout ce que le monde prescrit de cérémonies et de formalités inutiles... » Et dans ses carnets intimes : « J'envie le bonheur des fidèles anachorètes, le repos des reclus, et la tranquillité de ces exilés du monde et de ses pompes. Vous m'aviez bien inspiré ces sentiments, mon Dieu, mais je n'y ai pas répondu comme je devais... Empêchez-moi de croire ces flatteurs et ces faussaires qui me disent que je puis m'approcher de vous sans m'éloigner du monde... » Beauvillier s'était d'abord destiné à l'Église. Des raisons de famille, si puissantes alors, comme on sait, en avaient décidé autrement.

Ces places et ces charges, cette familiarité de Beauvillier et de Chevreuse avec le Roi, qui étaient chez les autres l'objet de tant de manœuvres et de convoitises, ils n'y tenaient guère, prêts à les perdre si la Providence en disposait ainsi. « Pensant comme il faisait depuis si longtemps sur ce monde et sur l'autre », confia Beauvillier à Saint-Simon, c'est sans regret qu'il se verrait congédié ; il n'aurait pas voulu, dit-il dans une lettre, « lever une paille » pour se maintenir à la Cour. La disgrâce de Fénelon faillit entraîner la leur, sans que cette menace parût entamer la paix qu'on ne pouvait leur ravir. Le duc et la duchesse de Beauvillier se virent dépouillés, avec une résignation totale, de ce qui leur était bien plus cher : ils avaient deux fils, « bien faits et qui promettaient toutes choses », qui moururent de la petite vérole, à peu de jours l'un de l'autre. Sa femme et lui « allèrent sur-le-champ en faire un sacrifice à la messe, et y communièrent l'un et l'autre... Je ne connais point de sermon si touchant que la douleur et la résignation profonde de l'un et de l'autre, leur sensibilité entière sans rien prendre sur leur soumission et leur abandon à Dieu, un silence, un extérieur doux, apparemment tranquille, mais concentré, et toujours quelques paroles de vie qui sanctifiaient leurs larmes ». La duchesse de Beauvillier était laide, mais la vivacité de son

esprit le faisait oublier. La duchesse de Chevreuse
était grande et bien faite. Chez toutes les deux, une
âme pure qui paraissait dans leur regard.

Le duc et la duchesse de Chevreuse vécurent si
unis, ce qui n'était pas de mode à la Cour, qu'on
disait en s'en moquant un peu qu'ils vivaient « à la
bourgeoise » : c'était l'expression alors consacrée, nous
apprend M. Hébert, l'intéressant curé de Versailles
dans ses *Mémoires*. Il nous révèle aussi que Chevreuse,
tout orienté vers l'autre monde, l'avait fort engagé
à écrire une étude sur « la vie intérieure », et la
« véritable spiritualité », avant que Fénelon composât
lui-même sur ce sujet un livre qui devait entraîner
sa disgrâce, ou en être le prétexte, et à l'impression
duquel Chevreuse veilla d'ailleurs personnellement.
Cette affaire du Quiétisme le tourmenta beaucoup.
« M. de Chevreuse ne songe plus à me voir, écrivait Bossuet, mais à détourner les yeux quand il me
rencontre. » Auparavant, il était intervenu à plusieurs reprises entre Fénelon et Bossuet. Il avait été,
plus encore que Beauvillier, parmi les fervents de
Mme Guyon, mystique excessive sans doute, « la plus
grande folle de mon royaume », dit Louis XIV,
« illustre béate », dit Saint-Simon, « la nouvelle pro-
phétesse », disait Bossuet qui l'avait poursuivie avec
fureur et qu'il n'était pas de tout repos à la Cour de
défendre. Mais que risquait Chevreuse ?

Comme lui, trois de ses sœurs avaient été élevées
à Port-Royal, et on a les lettres de Bossuet à deux
d'entre elles, restées religieuses : « J'ai toujours ouï
dire que votre éducation de toutes deux à Port-Royal
avait fait une mauvaise impression, que monsieur
votre frère avait eu bien de la peine à lever par rapport

à sa personne. » S'en était-il vraiment soucié? C'est pour sa sœur Mme de Luynes, qui sera prieure de Torcy, que Bossuet composa son discours de *La Vie cachée en Dieu* où il disait : « Qu'importe au monde qui vous soyez, où vous soyez, ou même que vous soyez?... Nous possédons Dieu qui est tout. Fuyons, fuyons le monde; car ce n'est que corruption. » Bossuet, Fénelon, Port-Royal, en dépit de tout et à un certain niveau, tout se rejoint et se retrouve. Il y eut au XVIIe siècle dans l'Église catholique, à côté des horreurs qui ne sont pas rares dans son histoire, un renouveau dont Bossuet lui-même, si loin de nous peut-être, fut l'instrument et le témoin. « Son but, écrivait l'abbé Ledieu, son secrétaire, est d'éclaircir la vérité et de la faire entrer dans tous les esprits, en la faisant aimer toute belle et toute pure qu'elle est. » C'était une vérité qui s'estimait davantage fondée en raison que liée à l'effusion des mystiques, dont Bossuet se défiait. « Saint Augustin ira partout en tête, et saint Thomas sera le premier à la suite, dit-il dans une lettre où il parle de ses œuvres à venir. Je n'oublierai pas les autres saints, sans mépriser les mystiques, que je mettrai à leur rang, qui sera bien bas, non par mes paroles, mais par lui-même, comme il convient à des auteurs sans exactitude. » Nous sommes ici à l'opposé de Fénelon et de ses amis.

Lorsque le duc de Chevreuse mourut, sa femme « se donna pour morte », dit Saint-Simon. Elle « s'affranchit de tous devoirs du monde », retirée à l'hôtel de Luynes et à Dampierre comme dans un couvent, au milieu de son intime famille, passant chaque jour « une longue matinée en prières et en bonnes œuvres », et cela, des années avant de s'éteindre « dans la vénération publique », « parmi les larmes les plus amères des siens ».

Louis XIII, si admiré de Saint-Simon, avait étonné ceux qui l'entouraient, à ses derniers moments, par « son mépris du monde et de toutes ses grandeurs ». Il en fut de même toute leur vie pour les ducs de Beauvillier et de Chevreuse et leurs épouses. Leur « mépris intime du monde » y faisait d'eux des étrangers (ce qui ne signifie ni indifférents, ni inefficaces), soutenus par une « présence » de Dieu quotidiennement ressentie, éprouvée, évidente, et forte et exigeante. On aurait pu dire de chacun d'eux ce que Saint-Cyran dit de la Mère Marie des Anges Suyreau, abbesse de Maubuisson et qui mourut à Port-Royal : « Il faut avouer que c'est une âme bien possédée de Dieu. » Ainsi les voit Saint-Simon qui, à ce prix, leur témoigne une « vénération » que, certes, il ne prodigue pas.

*

Les ducs de Beauvillier et de Chevreuse avaient eu le bonheur de former, et façonner selon leurs vues, de guider et de conduire, l'héritier de la couronne, le duc de Bourgogne, aimé, vénéré aussi, par Saint-Simon. Je l'ai dit au passage, la passion de celui-ci pour le duc de Bourgogne ne pouvait être étrangère au respect déclaré, et inespéré, qu'avait pour les grands seigneurs le petit-fils de Louis XIV, ce qui permettait d'entrevoir un avenir merveilleux. Le duc de Bourgogne « haïssait la tyrannie que les petites gens exercent si cruellement et si continuellement sur les nobles » : voilà de quoi ravir Saint-Simon, qui n'aurait pas suffi cependant à susciter cette tendresse débordante, cet oubli de toute mesure, ce frémissement d'enthousiasme, dès qu'il évoque ce jeune prince, qui ne semble pas avoir été si brillant.

Dans la préface d'*Athalie*, et alors qu'il n'avait pas neuf ans, Racine faisait déjà du duc de Bourgogne « les plus chères délices de la France », et sa sagesse précoce aurait été celle du jeune Éliacin, « unique espérance » du peuple fidèle : flatterie obligée du courtisan. Saint-Simon voit plutôt dans le duc de Bourgogne un vivant miracle. Il était né, dit-il, emporté, coléreux, avide de plaisirs, méprisant et sans pitié, quand la Grâce le transforma : attentif, un peu austère, disant que le luxe des grands « est le sang des pauvres », que « les peuples ne sont pas aux rois, mais les rois aux peuples », occupé exclusivement de ses devoirs, et de s'instruire, avec beaucoup de religion et de douceur, tel enfin qu'il n'était pas digne de ce monde, et que Dieu le prit. Le désespoir de Saint-Simon fut alors à la mesure de l'idée, peut-être abusive, qu'il se faisait de lui.

Sa mort lui inspira des exclamations passionnées qui se succèdent comme nulle part ailleurs : « Quelles tendres, mais tranquilles vues! quel surcroît de détachement! quels vifs élans d'actions de grâces d'être préservé du sceptre et du compte qu'il en faut rendre! quelle soumission, et combien parfaite! quel ardent amour de Dieu! quel regard perçant sur son néant... » Ce n'est pas inutilement que je transcris ces louanges. L'admiration de Saint-Simon dit là ses raisons décisives, qui ne sont pas essentiellement liées aux vertus du prince quand il vivait : la vie semblait tout lui promettre, et si la dévotion de Saint-Simon pour sa mémoire est telle, c'est que le duc de Bourgogne abandonne sans regret tout, qu'il tient pour rien. Le duc de Bourgogne remercie Dieu d'être « préservé du sceptre », témoignant « un détachement, un mépris du monde et de tout ce qu'il y a de grand, une soumission et un amour de Dieu incomparables ». Beauvillier et Chevreuse avaient eu toujours la tentation de fuir ce monde : il ne pouvait en être question pour le duc de Bourgogne, né et destiné à la Cour, mais il quitte la Cour et le monde, la mort le prenant si jeune, avec soulagement. Voilà le critère, toujours le même pour Saint-Simon.

On est d'abord frappé par le dessin noir qu'il fait de la Cour de Louis XIV. Il y a ce coin de lumière, qui a d'autant plus d'éclat qu'il tranche sur le sombre du reste. Là vivent, mais vraiment séparés, retranchés, les deux beaux-frères et leurs épouses, entourant ce prince un peu contrefait, un peu bossu, mais rayonnant. Image ? Littérature ? Vérité en tout cas pour Saint-Simon, et si l'on rassemble les textes et les témoignages, pour une bonne part vérité tout court.

Il faut avancer ici avec précaution. En ce temps-là le Roi vieillissant était dévot, et une dévotion de parade s'imposait. « Un faux air d'austérité devenait à la mode », dit Mme de Caylus. « Maintenant que nous sommes dévots, remarquait Mme de La Fayette, hors de la piété point de salut à la Cour, aussi bien que dans l'autre monde. » Mme de Maintenon écrivait : « Les dames qui en paraissaient les plus éloignées ne partent plus des églises... Les simples dimanches sont comme autrefois les jours de Pâques. » Racine se mit à composer des tragédies « en style de *Pater Noster* », prétendaient ses ennemis.

Et voici les horreurs et les abominations. C'est au nom de cette dévotion nouvelle que les protestants durent fuir, ou ramer dans les galères, ou aller à la messe qu'ils abhorraient, et qu'on décida de leur enlever leurs enfants pour les faire catholiques. Ce n'est pas un détracteur de l'Ancien Régime, c'est Taine, qui écrit ceci : « Si le clergé aide l'État, c'est à condition que l'État se fera bourreau. Pendant tout le xviiie siècle, l'Église veille à ce que l'opération continue. En 1717, une assemblée de soixante-quatorze personnes ayant été surprise à Anduze, les hommes vont aux galères et les femmes en prison. En 1724, un édit déclare que tous ceux qui assisteront à une assemblée et tous ceux qui auront quelque commerce avec les ministres protestants, seront condamnés à la confiscation des biens, les femmes rasées et enfermées pour la vie, les hommes aux galères perpétuelles. » Cela avait commencé sous le Grand Roi, et dans l'approbation générale. « On peut dire que le Roi a eu le bonheur d'éteindre l'hérésie dans son royaume, et que ces gazetiers protestants sont de grands menteurs » (Antoine Arnauld). « Vous avez vu, sans doute, l'édit par lequel le Roi révoque celui de Nantes. Rien n'est si beau que ce qu'il contient, et jamais le Roi n'a fait et ne fera rien de plus mémorable » (Mme de Sévigné). « Je ne veux point raisonner sur tout ce qui s'est passé, en politique raffiné ; j'adore avec vous les desseins de Dieu, qui a voulu révéler, par la dispersion de nos protestants, ce mystère d'iniquité et purger la France de ces monstres » (Bossuet). Dans les provinces, des Dragonnades pour forcer la conscience des Huguenots, le Père Bourdaloue à la rescousse, à La Rochelle et à Rochefort Fénelon, plus modéré et plus doux, mais

parlant tout de même de « têtes folles et incorrigibles »,
tandis qu'à la Cour l'hypocrisie suppléait à tout et la
conscience de nombre de catholiques était plus souple,
qui se seraient faits Turcs pour plaire. Quand Fénelon
fut nommé précepteur du duc de Bourgogne, le supérieur de Saint-Sulpice lui écrivit : « Vous voilà dans
un pays où l'Évangile de Jésus-Christ est peu connu,
et où ceux même qui le connaissent, ne se servent
ordinairement de cette connaissance que pour s'en
faire honneur auprès des hommes. » A Versailles, la
piété fut désormais un moyen de parvenir.

A la date du 3 avril 1684, qui était un lundi de
Pâques, on lit dans le *Journal* de Dangeau : « Le Roi
à son lever parla fort sur les courtisans qui ne faisaient point leurs Pâques, et dit qu'il estimait fort ceux
qui les faisaient bien, et qu'il les exhortait tous à y
songer bien sérieusement, ajoutant même qu'il leur en
saurait bon gré. » On imagine s'il y eut foule à la sainte
table. Aux Vêpres, si l'on annonçait que le Roi ne
viendrait pas, la chapelle se vidait : Brissac en fit la
farce, un jour, et Louis XIV fut étonné de ne plus voir
que Mme de Dangeau et deux ou trois autres, dans les
tribunes habituellement si pleines. « Telle femme dont
personne n'ignorait les galanteries », dit Saint-Simon,
ne parlait que « devoirs, ménage, désirs de piété » à
Mme de Maintenon, et « sortant de là, lui tirait la
langue et s'allait moquer d'elle ».

Fénelon écrivait à Mme de Maintenon : « Vous êtes
sèche et sévère. » On devait à l'épouse du Roi le
triomphe de cette austérité de commande, et de la tar-
tuferie à la Cour. La dévotion même de Mme de Maintenon, cette « vieille galante », Saint-Simon n'y croit
pas : il faut être une épouvantable « fée » pour être

passée de la chambre de Scarron au lit du Roi, et quand on fait si bien son chemin en ce monde, l'autre vous tient moins à cœur qu'on ne dit.

Mme de Maintenon écrivait pourtant : « Je suis comme hébétée par l'accablement de mes peines et de ma tristesse... Je m'ennuie de vivre... Il faut renoncer à ce pays-ci, où il faut agir et parler contre sa conscience... Ne voyez-vous pas que je meurs de tristesse dans une fortune que l'on aurait peine à imaginer, et qu'il n'y a que le secours de Dieu qui m'empêche d'y succomber. » Les lettres de Godet des Marais, évêque de Chartres, son directeur et conseiller, l'incitent sans cesse au courage et à la résignation, jusque dans les assiduités du Roi auprès d'elle, qui lui étaient à charge. Elle dira plus tard : « Je haïssais la Cour, et je n'ai jamais désiré d'y être... J'ai quitté le monde que je n'aimais pas. » Elle mourut, lit-on dans les *Mémoires* du maréchal de Noailles, « avec un mépris qu'elle avait de la vie depuis quelques années ».

« Il paraît bien visiblement, Sire, écrivit à Louis XIV Godet des Marais, que le Ciel vous a voulu donner une aide semblable à vous, au milieu de cette troupe d'hommes intéressés et trompeurs, qui vous font la cour, en vous accordant une femme qui ressemble à la femme forte de l'Écriture occupée de la gloire et du salut de son Époux [1]... » Le personnage de Mme de Maintenon s'explique peut-être par cette vocation qu'elle crut être la sienne de convertir et de faire le salut du Roi, mais pour qui l'observait sans avoir ses confidences, elle y trouva trop bien son compte. Elle aurait dit à son frère : « Je n'y puis plus tenir;

1. « Lettre de l'évêque de Chartres à Louis XIV (1697) », *Études*, juillet 1899, p. 106 à 112.

je voudrais être morte », à quoi il aurait répondu :
« Vous avez donc parole d'épouser Dieu le père ? »
Aucune réussite à la Cour ne pouvait paraître égaler
la sienne, et sans gouverner l'État, comme le disaient
ses ennemis, son influence fut très grande au moins
dans les affaires religieuses, qui à l'époque tenaient une
telle place et étaient mêlées à tout. C'est en présence
de Mme de Maintenon que fut prise par Bossuet,
l'évêque de Chartres et l'archevêque de Paris, la décision de se déclarer contre Fénelon (*Journal* de l'abbé
Ledieu). A quel titre, cette Mère de l'Église ? Elle
avoua elle-même : « En réfléchissant sur ma vie, je
remarque que les pas que j'ai faits vers la piété ont
toujours été à mesure que ma fortune est devenue
meilleure », et elle répétait complaisamment ce que
disait d'elle la duchesse de Chaulnes : « Jour de Dieu,
l'heureuse femme ! » Cette réussite en ce monde, cette
« fortune » incroyable, la disqualifiaient pour Saint-
Simon, qui détestait « l'étalage de la dévotion », et
les « dévots de profession ouverte », tel M. d'O, « assidu
aux offices de la chapelle », où on le trouvait souvent
en prières, et qui ainsi poursuivait et décrocha la fortune. « Ce manteau de religion, dit Saint-Simon, qui
couvre tant d'ambition, de cabales, de brigues et d'infamies. »
Tandis qu'il discerne, et admire, chez le duc de
Bourgogne, comme chez Beauvillier et Chevreuse,
parce qu'ils étaient détachés et ne faisaient que se
prêter, malgré eux, à ce monde, l'authenticité de la
foi : « Quel reflet de la Divinité dans cette âme candide,
simple, forte ! » Le duc de Bourgogne « trouvait sa
force et sa consolation dans la prière », et attendait
et désirait la messe « comme le cerf altéré court aux

fontaines ». Il assurait à Fénelon : « Ma volonté d'être à Dieu se conserve, et même se fortifie... Redoublez, je vous prie, vos prières pour moi... Sur ce que vous me dites de mon indécision, il est vrai que je me le reproche à moi-même, et que, quelquefois paresse ou négligence, d'autres, mauvaise honte ou respect humain, ou timidité, m'empêchent de prendre des partis et de trancher net dans des choses importantes. Vous voyez que je vous parle avec sincérité, et je demande tous les jours à Dieu de me donner, avec la sagesse et la prudence, la force et le courage pour exécuter ce que je croirai de mon devoir... Je suis bien moins homme de bien et moins vertueux que l'on ne me croit, ne voyant en moi que haut et bas, chutes et rechutes, relâchements, omissions et paresse dans mes devoirs les plus essentiels, immortification, délicatesse, orgueil, hauteur, mépris du genre humain, attache aux créatures, à la terre, à la vie, sans avoir cet amour du Créateur au-dessus de tout, ni du prochain comme moi-même. » Il était humble, en réalité : « Je n'ai jamais vu, écrivit Fénelon, personne à qui j'eusse moins craint de déplaire, en lui disant contre lui-même les plus dures vérités. » En tête des lettres qu'il reçut de lui, le duc de Beauvillier écrivit une note, souhaitant qu'elles soient publiées un jour, car elles pourraient servir à la gloire de Dieu.

Les vrais politiques riront de tout cela, demandant qu'on passe aux choses sérieuses, et c'est la preuve que la politique de Saint-Simon lui était moins essentielle qu'on ne l'a cru : lui, n'en riait pas. Ce n'était pas rien, en effet, que ce désir de perfection chez un prince qui aurait pu croire que tout lui était dû, et permis, et qui parlait, pour se le reprocher, d' « immortification », mot qui devient incompréhensible aujourd'hui. On ne peut en douter, à la Cour de Louis XIV exista cette particularité singulière : un petit cercle qui avait trouvé dans le duc de Bourgogne son centre et comme son cœur, et où l'on se souciait plus que de tout de l'union à Dieu et de la gloire de Dieu. C'est là que fut un moment reçue, fêtée, écoutée, admirée (non par le duc de Bourgogne, trop jeune, mais par son entourage), Mme Guyon qui y répandit sa doctrine du pur amour. « Vous étiez, écrivit-elle, ô mon Dieu et mon amour, l'âme de mon âme et la vie de ma vie... Amour doux et douloureux tout ensemble... » Celui qu'éprouvait le duc de Bourgogne pour sa femme était « furieux », c'est le mot de Mme de Maintenon dans une lettre, et bien d'autres le confirment. La duchesse de Bourgogne en fut longtemps importunée. Mais il écrivait à Fénelon : « Demandez de plus en plus à Dieu qu'il me donne cet amour pour Lui, et de tout, et de moi-même, amis et ennemis, pour Lui et en Lui... Voilà mes sentiments, mon cher Archevêque, et malgré mes chutes et mes défauts, une détermination absolue d'être à Dieu. Priez-le donc incessamment d'achever en moi ce qu'il a commencé. » Et à Beauvillier : « Ne croyez point que c'est à cause de vous que je mets toujours quelque petit mot de Dieu dans mes lettres, mais c'est que je sens toujours un plaisir infini à en parler. » Dieu n'était pas pour le duc de Bourgogne une entité redoutable, ou inaccessible et vague, mais un feu qui réchauffe et qui brûle, et s'il croyait s'en être éloigné un moment, il usait tout naturellement du seul mot qui convienne : un « refroidissement ». « Pour moi, écrivait-il à son frère, je trouve tous les jours des douceurs nouvelles dans son service, et il me comble de beaucoup de grâces. »

En 1706, raconte Saint-Simon, « Monseigneur le duc de Bourgogne cessa d'aller à la musique, quoiqu'il l'aimât fort, et vendit les pierreries qu'il avait eues de feu Madame la Dauphine, et il en avait beaucoup, dont il fit donner tout l'argent aux pauvres. Il n'allait plus à la comédie depuis quelque temps. » Le duc de Berwick rapporte dans ses *Mémoires* : « Il poussa si loin le pardon des injures et l'amour du prochain qu'il risqua sa propre réputation plutôt que de parler contre des calomniateurs... Je l'ai vu recevoir ces personnes avec autant de politesse et d'amitié que si elles ne s'étaient jamais écartées des règles de la vérité et du respect qu'elles lui devaient. En un mot, il faisait à Dieu un sacrifice continuel de toutes les traverses et mortifications qu'il essuyait. » Il était médiocrement intelligent, appliqué mais puéril, et ses lettres à Beauvillier quand il était en Flandre ou en Alsace, face à un ennemi qu'il aurait fallu combattre, le montrent admirablement soumis à la volonté de Dieu, priant beaucoup et agissant peu, très bon chrétien et rien moins que chef. C'était le malheur de la naissance, dans un système absurde où un jeune ignorant devait paraître commander une armée. « Les prières sont plus nécessaires que jamais, écrivait-il, car voici le temps critique... » A voir ce qu'il fut comme chef de guerre, on peut douter de ce qu'il aurait été à la tête de l'État. Stendhal utilise à son sujet le qualificatif grossier le plus bref. « Dans cet aimable prince, l'un des meilleurs hommes de son temps, dit Michelet, se trahit l'incurable vieillesse d'un monde qui va finir. » Je m'en voudrais de ne pas relever chez le duc de

Bourgogne, dans certaines de ses lettres à Philippe V, furtivement, comme une grâce contenue et un soupçon de poésie, qui peut-être font comprendre mieux encore qu'on l'ait aimé : « Adieu, mon cher frère; il est bien tard, minuit étant sonné, et je me suis interrompu déjà plus de quatre fois pour m'aller promener avant de me coucher; car il fait fort beau cette nuit... » C'est une toute petite musique de nuit. Et, depuis Fontainebleau : « Je me souviens toujours que c'est ici que nous avons passé les derniers temps que nous avons été ensemble, et ce souvenir m'est à la fois agréable et douloureux. » Roi, qu'aurait-il fait? « Ses précepteurs, son confesseur, sa femme, chacun dans sa voie, ne cessèrent de le guider et de le mener, remarque Sainte-Beuve. Ce n'était qu'un élève, le plus brillant des élèves. » Saint-Simon le trouvait trop dévot pour un prince, et disait que son austérité abusive pouvait être comparée à « quelque petite âpreté d'un fruit très délicieux ».

Il passe et oublie finalement d'évidentes faiblesses, pour vénérer chez le duc de Bourgogne ce qui lui avait paru déjà décisif et admirable chez Beauvillier et Chevreuse : une grande conscience dans l'accomplissement des tâches d'ici-bas, mais sans ambition ni attache, et un grand éloignement, au contraire, à l'égard de ce monde « pour lequel Jésus-Christ a déclaré qu'il ne priait pas ».

*

Aussi Saint-Simon n'éprouva-t-il jamais des sentiments semblables pour celui qui, plus que tout autre, avait marqué, et changé, et gouverné le duc de Bourgogne qui lui disait : « Je laisse derrière la porte le duc de Bourgogne, et je ne suis plus avec vous que le petit Louis... » Fénelon avait été son précepteur, et formé à la Cour de Louis XIV, avec la duchesse de Béthune, fille de Foucquet, les ducs de Beauvillier et de Chevreuse et leurs femmes, et quelques autres, ce que Saint-Simon appelle « le petit troupeau », lequel restera fidèle à l'archevêque de Cambrai quand une disgrâce royale le relégua à jamais dans son diocèse. Le duc et la duchesse de Beauvillier furent à l'origine de son *Traité de l'éducation des filles*, et c'est le duc de Beauvillier qui présenta au Roi le livre alors fameux des *Maximes des saints* qui devait être condamné, et « en fit les honneurs à toute la Cour », a-t-on dit. De ce troupeau, Saint-Simon ne fut jamais, alors que tant de ceux qui le composaient lui étaient si chers, et s'il fut sensible au prestige de Fénelon, il ne l'aimait pas. Les rapports de cet homme d'Église avec Mme Guyon lui semblaient dérisoires. Encore n'avait-il pas lu ses lettres, où Fénelon se montre à l'égard de cette femme d'une admiration, d'une confiance, d'une docilité en tout à peine croyable et qui fait douter de son jugement : « Enfantez, allaitez, nourrissez... En vous la mère, en moi l'enfant, en vous la sagesse de l'Évangile, en moi la folie aux yeux du monde. » Saint-Simon tenait surtout Fénelon pour « un esprit coquet » qui voulait plaire pour parvenir.

« Il avait frappé longtemps, dit Saint-Simon, à toutes les portes sans se les pouvoir faire ouvrir. » Il aurait d'abord voulu se frayer une route du côté des Jésuites, et ensuite en liaison avec Port-Royal, à moins que ce ne fût l'inverse : Saint-Simon suggère ces deux itinéraires, sans grande vraisemblance pour Port-Royal. Cependant M. Hébert nous confirme que pendant plusieurs années le bruit courut que « l'abbé Fénelon était l'ami de Port-Royal », dont il devait être plus tard l'adversaire si déterminé. Ce fut à Saint-Sulpice autour duquel il avait longtemps « tourné », raconte Saint-Simon, que Fénelon trouva « de quoi primer à l'aise, et se faire des protecteurs ». Saint-Sulpice était le séminaire établi par M. Olier près de l'église du même nom, où l'instruction dispensée aux futurs prêtres était très hostile à ce qu'on appelait alors les libertés de l'Église gallicane, et au Jansénisme. « Ce séminaire est des plus fréquentés, écrivait Germain Brice dans sa *Description de Paris*, parce que la discipline ecclésiastique y est enseignée et pratiquée avec soin; et souvent on en tire des sujets pour remplir les premières dignités de l'Église. » Saint-Simon avait Saint-Sulpice en abomination : « Les minuties, la grossièreté, l'ignorance, les maximes ultramontaines, et le génie, le goût et la tendance à l'inquisition, en font l'esprit, qui s'est répandu partout... » (*Addition à Dangeau*). C'étaient des gens qui ne « savaient rien du tout, pas même vivre, marcher, ni dire quoi que ce soit à propos ».

Auprès d'eux, et aisément, Fénelon aurait brillé et pris bientôt son essor. Le duc de Beauvillier « se confessait depuis longtemps à Saint-Sulpice, qu'il aimait et protégeait fort » : par lui, Fénelon fut appelé à la Cour, et devint précepteur des Enfants de France, introduit dans le « sanctuaire » de Mme de Maintenon, qui en fut charmée, pour être élevé enfin malgré lui à l'archevêché de Cambrai, « coup de foudre », puisqu'il était éloigné de Versailles neuf mois par an : « C'était Paris qu'ils voulaient tous, et non Cambrai. »

Rien d'autre dans cette histoire, telle que narrée par Saint-Simon, que la marche habile d'un gentilhomme du Périgord, d'abord sans appui et voué à l'Église, mais qui y fait son chemin et vise haut. Fixé définitivement dans son diocèse par ordre du Roi, Fénelon resta uni aux ducs de Beauvillier et de Chevreuse, qui en lui « ne voyaient rien que de divin », tandis qu'il « se servait d'eux et de soi-même pour des choses très terrestres », dit Saint-Simon. « En 1710, les amis qu'il avait encore à la Cour se flattaient de pouvoir l'y faire rappeler... » (cardinal de Bausset, *Histoire de Fénelon*). Résigné en apparence, il comptait gouverner l'État, grâce au jeune duc de Bourgogne qu'il ne cessait, même de loin et par l'intermédiaire de Chevreuse et de Beauvillier, de conseiller, de conduire, d'encourager et de former, et qui lui écrivait : « Je ne vous dirai point ici combien je suis révolté en moi-même de tout ce qu'on a fait à votre égard... Que le Dieu de paix veuille rapprocher tous les cœurs. Le mien, vous le savez, vous est uni pour jamais. » A l'automne, Fénelon se rendait ordinairement à Chaulnes, dont le duc de Chevreuse était seigneur, et avec lui parlait politique, réformait le gouvernement et l'administration, dressait des plans, ce qu'on a nommé les *Tables de Chaulnes*. L'archevêque de Cambrai avait donc pour lui l'avenir, patientait, dans l'attente de la mort du Roi, quand celle à vingt-neuf ans du duc de Bourgogne lui porta un coup qu'on put croire définitif. « Dieu nous a ôté toute notre espérance, dit-il, pour l'Église et pour l'État. »

Il songeait pourtant déjà au futur Conseil de régence, quand il mourut. Ce fut, aux yeux de Saint-Simon, la carrière d'un « homme de bonne maison », mais « cadet fort pauvre », « qui sentait son esprit et ses talents fort propres à suppléer à sa fortune », et qui finalement échoua. Il s'était gardé de montrer jamais « la moindre étincelle d'ambition », ce qui aurait « détruit tout son édifice », abusant ainsi de ses disciples, mais non pas Saint-Simon.

Madame, duchesse d'Orléans, ne voyait elle aussi qu'ambition chez Fénelon : il méditait de gouverner, dit-elle, en accord avec Mme de Maintenon, quand celle-ci « vira de bord », Bossuet ayant découvert le projet, ce qui précipita la chute de Fénelon. Il est exact qu'au temps où leur accord était complet, Fénelon avait incité Mme de Maintenon à agir sur le Roi, en termes pieux et prudents mais qui peuvent être à double entente. Il lui écrivait : « On dit que vous vous mêlez trop peu des affaires... Votre esprit en est plus capable que vous ne pensez, vous vous défiez peut-être un peu trop de vous-même. » Quant au Roi, « le capital est de ne perdre aucune occasion pour l'obséder par des gens sûrs, qui agissent de concert avec vous... Quand vous pourrez augmenter le crédit de Messieurs de Chevreuse et de Beauvillier, vous ferez un grand coup... Le grand point est de l'assiéger, puisqu'il veut être gouverné. » Il s'agissait apparemment du salut éternel de Louis XIV, mais influer ainsi sur le chrétien, n'était-ce pas aussi pousser le roi où on voulait ? La suite de cette lettre ne le dissimule guère, qui énumère les vérités politiques qu'il faudrait lui « insinuer ». Peu d'années après, Mme de Maintenon se changeait en ennemie de Fénelon, et poussait à sa perte : « Elle suit totalement ce qu'on lui inspire, et croit rendre gloire à Dieu, en étant toujours prête à passer aux dernières extrémités contre Monsieur de Cambrai » (Lettre de Beauvillier). Il fallut mettre Rome dans ce jeu de cour, et Fénelon en prit l'initiative, imprudemment.

L'Église catholique, en ce temps de sa splendeur terrestre, n'était pas plus une monarchie que la française. C'était à qui agirait sur le Pape, qui approuvait, censurait, ou gardait le silence, selon l'influence du moment. « Sa Sainteté dit toujours oui au dernier venu... », écrivait de Rome l'abbé Bossuet à son oncle. Quand on changeait de pape, qu'on choisissait de préférence fort vieux pour réserver l'avenir, les écartés de la veille retrouvaient leurs chances de gouverner à leur tour, quitte à retomber dans le trou au prochain conclave. En appeler à Rome, c'était s'en remettre aux hasards de la dernière intrigue. Bossuet triompha.

Ses lettres dites « de piété et de direction » sont un modèle de charité, de sainteté, de patience, de douceur, un délice pour qui aime respirer un autre air que celui qui sourd du grouillement ambitieux des hommes. (D'autres y verront, selon le mot même de Bossuet, « un galimatias spirituel ». Il est vrai que dans cette *Correspondance*, un récit de la sœur Cornuau évoquant les étapes de son mariage mystique avec le « Céleste Époux » est confondant. Bossuet lui répondit imperturbablement, rien ne l'étonnait, et pas davantage les petitesses et les scrupules de la religieuse : « c'est la crasse et la rouille de cette vie », dit-il.) Ses écrits sur le Quiétisme, et les lettres qu'il écrivit à Rome pour obtenir la condamnation de Fénelon, ne sont que dénonciations, acharnement, manœuvres, sarcasmes souvent drôles : un autre homme, très à l'aise dans les combinaisons entrecroisées des clans qui entouraient et assiégeaient le Pape : « Les Jésuites font la plonge... Monsieur le cardinal de Bouillon tortille... Je crains que la tête du Pape ne soit pas fort bonne... Monsieur de Cambrai a cent bouches pour débiter ses faux avantages... Il n'a composé son livre que pour défendre les erreurs d'une femme fanatique... Un homme qui ne fait que se moquer du public... Il est ou rampant, ou insolent outre mesure... Il écrit d'un ton victorieux, et l'on dirait que c'est moi dont on examine les livres... On le confondra dans les formes, on le couvrira de confusion... Il ne lui reste pas un seul défenseur, excepté M. le duc de Beauvillier et M. le duc de Chevreuse, qui sont si honteux, qu'ils n'osent lever les yeux. » Bossuet comparait Fénelon à Abélard, ajoutant avec bonté : « De toutes les aventures de ce faux philosophe, je ne souhaite à Monsieur de Cambrai que son changement. » Pour Mme Guyon : « Je trouvai dans la vie de cette dame que Dieu lui donnait une abondance de grâces dont elle crevait; au pied de la lettre il la fallait délacer. » Car il se servit des écrits intimes qu'on lui avait confiés, des confidences les plus secrètes, et tira parti de tout, au grand jour, dans sa *Relation sur le Quiétisme*. En ce siècle-là l'Église de Rome condamnait superbement toute « nouveauté » (c'était la formule), avant de tolérer maintenant, soucieuse d'être dans le vent, à peu près n'importe quoi, et elle frappa Fénelon dont l'influence à Versailles fut anéantie. Mme de Maintenon elle-même avait parfois trouvé Bossuet « bien vif sur l'affaire». Il avait écarté un concurrent dangereux.

« Nous avons, pour la vérité et pour nous, Mme de Maintenon, avait-il écrit dès le début de la querelle. Le Roi est presque autant déclaré et indigné contre Monsieur de Cambrai. » On démontra à Louis XIV que Fénelon avait monté une « cabale », et on le poussa en avant : « On se servira de la main du Roi pour écrire au Pape », avait annoncé Bossuet, ce qui fut fait, et à plusieurs reprises. L'abbé Bossuet, mandataire de son oncle, osa répandre à Rome le bruit que Fénelon nourrissait « une violente passion » pour Mme Guyon, qu'il avait dû se passer entre eux « toutes les choses auxquelles la passion porte les hommes » (Lettre du cardinal de Bouillon), et que s'il se refusait à condamner Mme Guyon, c'était par peur qu'elle ne révèle leurs communes turpitudes (Lettre de l'abbé de Chanterac).

Rome s'étant prononcée, et Fénelon soumis, vint le succès des *Aventures de Télémaque*, publiées d'abord à l'insu de Fénelon, et qui étaient une critique des fastes de la Cour, des ministres complaisants, et du pouvoir absolu, « censure ouverte du gouvernement présent », dit Bossuet. « On avait persuadé au Roi, prétend Saint-Simon, qu'Astarbé et Pygmalion dans Tyr était sa peinture et celle de Mme de Maintenon dans Versailles. Celle-ci n'y pouvait penser sans frémir de rage. » Louis XIV avait donc confié son petit-fils à cet homme qui, secrètement, minait son prestige et son autorité : il ne voulut plus le revoir. « Je ne doute point, écrivait Fénelon en 1710, dans un *Mémoire* au Père Le Tellier, qu'outre l'affaire de mon livre condamné, on ait employé contre moi dans l'esprit du Roi la politique de *Télémaque* : mais je dois souffrir et me taire. »

Bossuet, dans l'intimité, disait de Fénelon qu'il se montra « toute sa vie un parfait hypocrite ».

Valenciennes, 1706 : j'ai sous les yeux cette *Ordonnance et instruction pastorale* de Monseigneur l'archevêque duc de Cambray, Prince du Saint Empire, c'est-à-dire Fénelon, où je lis : « L'agneau, dit saint Grégoire, passe légèrement dans l'endroit, où la pesanteur de l'éléphant le réduit à nager. » Nous retrouvons les animaux des fables : dans la lutte de Bossuet et de Fénelon l'éléphant écrasa l'agneau, mais qui se faisant tout léger ne désespéra pas de survivre, avec des alliés aussi souples que lui, les Jésuites. Le Père de La Chaise, qu'il avait naguère si peu ménagé dans sa *Lettre à Louis XIV* l'avait soutenu, lorsque son cas avait été déféré à Rome. Il eut ensuite la complicité confiante du Père Le Tellier : « L'un ne fait rien que l'autre ne loue ou n'approuve, écrit le P. Bliard; ils se communiquent leurs plans d'attaque et de défense, leurs craintes et leurs espérances; ils s'excitent, ils s'encouragent. » Les proches de Bossuet avaient toujours enveloppé dans le même opprobre « les Jésuites et les cambrésiens », tandis que Bossuet, sans les approuver entièrement, ne manquait pas de sympathie pour ces Messieurs de Port-Royal. Après l'affaire du Quiétisme, cette autre querelle se ranima, qui devait conduire à la destruction définitive de Port-Royal, et Fénelon se trouva en désaccord de nouveau avec le cardinal de Noailles, très lié avec Saint-Simon. Sur le Jansénisme, Fénelon s'acharna alors comme on s'était acharné contre lui. « Un impie de bon sens et de vie réglée, disait-il, est beaucoup moins à craindre qu'un Janséniste dans cette place. » (Il s'agissait de la charge de premier président au Parlement de Paris.) Elle est

192

pénible à lire, la lettre de Fénelon apprenant la saisie à Bruxelles des papiers du Père Quesnel, où on crut découvrir toutes les preuves, et tous les secrets, du complot janséniste : « On trouvera apparemment bien des gens notés dans leurs papiers... Il faudrait, pour bien faire, y poser un scellé, et faire transporter le tout à Paris pour examiner les choses à fond... Il faudrait interroger les domestiques et autres affidés de la maison où ils ont été pris... Si on peut trouver des gens comme M. Boileau (de l'archevêché), M. Duguet, et le Père de La Tour... N'oubliez pas de faire savoir au bon Duc (Beauvillier) et au Père de La Chaise ce qu'on doit chercher dans les papiers saisis à Bruxelles. » Fénelon et les Jésuites combattaient d'un même cœur contre Port-Royal. Or Saint-Simon avait de l'estime pour Port-Royal : une raison de plus pour qu'il ne fût pas dupe de Fénelon, qui lors de la dispersion des religieuses de Port-Royal-des-Champs parla pourtant de l' « indignation » que susciteraient « leurs persécuteurs ».

Il y avait plus d'une ambiguïté chez Fénelon, et en cela Saint-Simon voyait juste. Il fallait rappeler cette vie de lutte, ces rivalités, ces hauts et bas de la destinée de Fénelon, ses constantes arrière-pensées politiques, pour comprendre le jugement que porte sur lui Saint-Simon, et comprendre Saint-Simon lui-même. « Certaines chimères d'ambition me viennent tracasser la tête », écrivait à Mme Guyon son disciple le plus docile. Fénelon se voulait acteur en ce monde. Le monde, le jugement du monde, lui importèrent jusqu'au bout, attentif à ses mouvements, et aux ouvertures qu'il pouvait offrir, même à Cambrai et si loin de Versailles où peut-être il ne pourrait jamais revenir. Sans doute disait-il que le Christianisme est « un fantôme trompeur » s'il n'implique pas « l'horreur du monde ». Il écrivait : « Un faux ménagement entre Dieu et le monde ne contentera ni Dieu ni le monde... Ne comptons plus le monde pour rien : il n'est rien en effet, et c'est folie de le regarder comme quelque chose. » A Mme de Maintenon, il parlait aussi du « néant du monde », et l'invitait à se tenir pour « crucifiée » par ses « prospérités apparentes », et par « la misère attachée à ce que le monde lui-même a de plus éblouissant ». C'était une misère, un néant, une crucifixion de tout repos, où on ne renonce à rien. A d'autres correspondants, il confiait : « Je hais le monde, je le méprise, et il me flatte néanmoins un peu. » Ou encore : « Il faut mépriser le monde et connaître néanmoins le besoin de le ménager. »

C'est ce *néanmoins* qui transparaît dans tous les portraits que donne Saint-Simon de Fénelon, et qu'il ne pouvait admettre, là où il n'admirait qu'un absolu. Fénelon s'avouait « véritablement affligé » si le jeune duc de Laval ne servait pas dans les armées du Roi, comme tous ceux qui avaient « un nom connu » : c'était, disait-il, courir le risque d'être « déshonoré dans le monde ». L'honneur apparent du monde, et ces ménagements qu'il convient de garder pour y être estimé, Fénelon n'en rejetait rien, trop de précautions chez lui. « Fénelon, note Michelet, si fin, si calculé... » C'est seulement quand aura disparu le duc de Bourgogne qu'il écrira : « Il n'y a qu'à se détacher du monde et de soi-même », sans qu'on puisse dire avec certitude s'il y parvint jamais. « Avec cela, il avait je ne sais quoi de romanesque » (Voltaire).

Une nuance échappait à Saint-Simon : Fénelon

avait dans ses tiroirs des projets de réforme de l'État, et voulait changer le monde, mais non pour le dominer à son profit et dans son intérêt. On le voit bien dans sa célèbre *Lettre au Roi*. Il entendait servir les hommes, les changer, non se servir d'eux. Il écrivait au duc de Chevreuse : « Vous pourriez devenir favori, premier et unique ministre, que je n'en ressentirais pas, ce me semble, une grande émotion : mais je ne puis penser, sans une sensible joie, que vous voulez être à Jésus-Christ, sans réserve et sans retour. » Il disait au duc de Chaulnes : « Dieu veut tout, et tout lui est dû. » Il ne cessait de rappeler au duc de Bourgogne ce qu'il « devait à Dieu », lui enjoignant de « marcher toujours en présence de Dieu », sans cette « dévotion sombre, timide, scrupuleuse » qui était trop souvent la sienne, mais enfin sans perdre jamais Dieu de vue, ce qui n'est pas le conseil d'un vrai politique. « Au nom de Dieu, écrivait-il au duc de Chevreuse, qu'il ne se laisse gouverner ni par vous ni par moi, ni par aucune personne au monde. » Cela non plus n'est pas la marque d'une ambition personnelle. Le duc de Bourgogne avait déjà vingt-six ans, que Fénelon lui signalait dans le dernier détail ses erreurs, ses petitesses, sa « timidité scrupuleuse », lui demandant de « voir humblement ses défauts » pour mieux les « extirper », de « renoncer à l'amour-propre », mais aussi à une faiblesse déshonorante, sinon, disait-il, il risquerait de « tomber bien bas ». Rien ici de la flatterie, et des complaisances de toutes sortes, qui sont le moyen de réussir auprès des grands de ce monde, et un ambitieux ordinaire n'agit pas ainsi. Fénelon tentait d'apprendre au duc de Bourgogne à « mêler le courage et la fermeté avec une amitié tendre et sensible » *(Télémaque)*, et pour que les desseins de Dieu puissent enfin s'accomplir grâce à lui, il voulait le transformer, lui inculquer cette idée toute simple, révolutionnaire en effet et qui l'est encore, qu'il n'y a pas de morale particulière pour les rois. Son *Examen de conscience sur les devoirs de la royauté*, c'est le pur christianisme appliqué à la politique, et n'y perdant pas son âme, et tout son sens, comme il en a l'habitude. L'éducation du duc de Bourgogne lui avait paru une occasion unique, utopie, diront les sages, mais par où Fénelon rejoignait Pascal : « Une des choses sur laquelle feu M. Pascal avait plus de vues était l'instruction d'un Prince qu'on tâcherait d'élever de la manière la plus proportionnée à l'état où Dieu l'appelle, et la plus propre pour le rendre capable d'en remplir tous les devoirs et d'en éviter tous les dangers. On lui a souvent ouï dire qu'il n'y avait rien à quoi il désirât plus de contribuer s'il y était engagé, et qu'il sacrifierait volontiers sa vie pour une chose si importante. »

Saint-Simon n'a pas soupçonné ce beau côté de l'ambition de Fénelon, qui ne voulait pas réussir à n'importe quel prix, et dont le projet était d'améliorer la condition des hommes, et des plus pauvres, quand serait roi le duc de Bourgogne qu'il rêvait de changer en un prince parfait. L'esprit « le plus chimérique de mon royaume », aurait dit Louis XIV, sans bassesse, plutôt, hardi et généreux. Toute la leçon de son *Télémaque*, un peu trop longue, filandreuse, bucolique et pastorale, mais finalement charmante, est qu'un prince n'est « le maître de tant d'hommes » que pour assurer « le bonheur public », que « tous les hommes sont frères, et doivent s'aimer », que la guerre est « la honte du genre humain », et qu'il n'y a pas plus deux vérités que deux morales. Fénelon n'estimait pas ceux qui devaient tout à leur naissance, rien à leur mérite : l'Électeur de Bavière, écrivit-il, « est bien prince, c'est-à-dire faible dans sa conduite et corrompu dans ses mœurs... Il passe les jours à la chasse, il joue de la flûte... » L'utilité de semblables souverains, entretenus à grands frais, lui échappait. Il existe une lettre de Fénelon à Louville, quand celui-ci accompagna le jeune Philippe V en Espagne. Il lui dit, par ordre d'importance, à quoi doit travailler un roi pour que son royaume soit bien gouverné : « 1º à le peupler; 2º à faire que tous les hommes travaillent selon leurs forces pour bien cultiver la terre; 3º à faire que tous les hommes soient bien nourris, pourvu qu'ils travaillent... » Les autres soucis d'un roi (il y a neuf règles) ne viennent qu'après. Que tous les hommes puissent vivre nombreux et manger à leur faim, voilà ce que les graves politiques appelaient une chimère, tandis qu'eux-mêmes allaient d'apoplexie en apoplexie parce qu'ils mangeaient trop. « Un esprit extrême, et qui outrait tout », disait Bossuet.

« Ce prélat, dit Saint-Simon, était un grand homme maigre, bien fait, pâle, avec un grand nez, des yeux dont le feu et l'esprit sortaient comme un torrent. » Bossuet lui-même en convient : « Monsieur de Cambrai a de l'esprit à faire peur. » Fénelon avait l'imagination et l'esprit, tout à la fois, le rêve et la grâce, qui ne peuvent qu'échouer en ce monde, apparemment. « L'âme du Christianisme, écrivait-il, est le mépris de cette vie, et l'amour de l'autre. » Face à Bossuet pour qui tous les moyens étaient bons, et si solidement installé dans cette vie, il ne pouvait peser lourd. Il échoua, et fut à Cambrai définitivement séparé de ceux qui l'aimaient, et qu'il aimait. « Les vrais amis font toute la douceur et toute l'amertume de la vie », dit-il à la mort de Beauvillier, disparu sans qu'il l'ait revu depuis tant d'années. « La séparation est la peine de l'enfer par excellence. Sur terre et dans l'éternité on n'en a jamais conçu de pire », a écrit Dominique Aury, à propos précisément de Fénelon. Il supporta cette peine, la domina, montrant que l'amour de Dieu est aussi une force qui peut tenir lieu de tout. Mais il en resta blessé. Le temps était loin où il confiait à Mme Guyon : « Quand je suis seul, je joue quelquefois comme un petit enfant, même en faisant oraison. Il m'arrive quelquefois de sauter et de rire tout seul, comme un fou dans ma chambre. » Il sut garder cependant, mais plus retenue, cette gaieté que Saint-Simon avait remarquée chez ceux qui ont renoncé au monde : « C'est à Cambrai, disait-il, qu'on est sobre, sain, léger, content et gai avec règle. » Ses conseils : « Soyez gai, comme un homme qui a trouvé le vrai trésor et qui n'a plus besoin de rien. Vivez au jour la journée, sans vous mettre en peine. » Il voyait clair, mais sans tristesse : « Le monde n'est qu'une cohue de gens vivants, faibles, faux, et prêts à pourrir; la plus éclatante fortune n'est qu'un songe flatteur... Hélas! tout est vain en nous, excepté la mort à nous-mêmes que la grâce y opère. »

Il écrivait au duc de Chevreuse : « Abandonnez-vous donc à la simplicité et à la folie de la Croix... Le silence de l'âme pour écouter Dieu seul, fait tout. » Et au duc de Bourgogne : « Cette vue courte et amoureuse de Dieu... C'est là que vous devez vous accoutumer à le chercher, avec une simplicité d'enfant, avec une familiarité tendre... Vous serez jugé sur l'Évangile, comme le moindre de vos sujets. » Et à Mme de Maintenon : « Soyez libre, gaie, simple, enfant; mais enfant hardi, qui ne craint rien, qui dit tout ingénument, qui se laisse mener, qu'on porte entre les bras, en un mot, qui ne sait rien, qui ne peut rien, qui ne prévoit rien et n'ajuste rien, mais qui a une liberté et une hardiesse interdite aux grandes personnes. Cette enfance démonte les sages, et Dieu lui-même parle par la bouche de tels enfants. » Et à Mme de Maisonfort : « Les mouvements de la grâce sont simples, ingénus, enfantins. » Voilà beaucoup de citations, dira-t-on, mais j'avoue ne pas me lasser de cette voix, si différente de ce qu'on entend tous les jours, et enfin, à parler de Fénelon, autant le connaître. On est confondu quand on voit dans un livre récent M. Jean Rouvier parler du « haineux Fénelon », qui a « pourri » le duc de Bourgogne : comment peut-on, à ce point, ne pas savoir et ne pas comprendre? Fénelon pensait que « ce qui manque le plus aux hommes, c'est la connaissance de Dieu », et que « la vraie paix n'est que dans la possession de Dieu », et dans ce « pur amour, qui est toujours libre, simple, gai, courageux, marchant avec largeur et animé par la confiance ». Il faut partir de là pour comprendre Fénelon, « un homme, a écrit Marcel Arland, ébloui et dévoré par sa foi ».

Cette foi si authentique et communicative explique que Chevreuse, Beauvillier, le « petit troupeau » tout entier, ne doutèrent jamais de lui, mais Saint-Simon, qui jamais ne lui avait même parlé, n'en pouvait être touché. Jusque dans sa retraite, il discernait en Fénelon un ambitieux « qui n'a renoncé à rien et qui se ménageait tout le monde et toutes choses ». Le choix devait être tranché et net entre ce monde-ci et l'autre, et une dévotion « compatible avec la plus haute et la plus vive ambition » lui était suspecte. Pendant la guerre où se jouait la couronne de Philippe V, Fénelon envoyait à Versailles de longs mémoires sur la politique européenne (d'ailleurs, très défaitistes), mais jusque peu avant sa mort il écrivait encore au duc de Chaulnes : « Je vous envoie un mémoire fort sincère pour M. le duc de Saint-Simon... Vous me ferez un vrai plaisir si vous voulez bien répondre à M. le duc de Saint-Simon de la sincérité avec laquelle je lui suis dévoué. » Il pensait toujours à la future Régence, et avait toujours des projets politiques : c'est bien là ce que lui reprochait Saint-Simon. Dans son palais ducal de Cambrai il vivait, dit Saint-Simon, « avec l'art et la magnificence d'un homme qui n'a renoncé à rien... l'Ambition n'était pas morte. » Cela suffisait pour qu'on ne le prenne pas tout à fait au sérieux. L'abbé Ledieu, ancien secrétaire de Bossuet, qui le visita à Cambrai, n'eut pas une impression différente : « La table fut servie magnifiquement et délicatement... Les domestiques portant livrée étaient en très grand nombre... C'est par politique, pour ménager tous les esprits et avoir l'approbation de tout le monde... Son gouvernement ne paraît qu'une pure politique : c'est ce que j'ai ouï dire à Monsieur l'évêque de Meaux même. » Il n'acceptait pas de mourir au monde. « On voyait dans ses yeux, dit M. Hébert, un feu qui surprenait. » « Une figure fort singulière, dit Saint-Simon, mais noble, frappante, perçante, attirante; un abord facile à tous; une conversation aisée, légère, et toujours décente; un commerce enchanteur... » Sur la fin de sa vie, il devint « d'une maigreur extrême, le visage clair et net, mais sans couleur, disant lui-même : On ne peut être plus maigre que je le suis » (*Journal* de l'abbé Ledieu). Mais jusqu'au bout tenant grande table, recevant, fastueux, et homme du monde. Poussons un peu plus loin, quittons ce grand théâtre.

*

« Une solitude intérieure et qui passait jusqu'à l'esprit, en sorte que Dieu faisait aimer cette séparation du monde, selon ces paroles : Je la mènerai dans la solitude, et là je lui parlerai au cœur... Depuis ma profession je demeurai dans une si grande joie d'être religieuse, qu'une fois j'en dansais étant seule », écrivait Anne-Eugénie Arnauld, sœur de la réformatrice de Port-Royal. Un jour était venu, où Fénelon avait cessé de rire et sauter tout seul dans sa chambre : il faut choisir. « Des huitaines de suite », Saint-Simon allait à la Trappe, auprès de l'abbé de Rancé, « un homme qui a tant honoré sa nation, l'Église et la nature humaine ». Il fut fidèle à la Trappe, Rancé mort, et fit donner par le Régent de fortes sommes à ses moines et à ceux de Septfonds « qui est de la même vie et la même règle que la Trappe, ce qui sauva deux saintes maisons d'une ruine certaine et imminente ». Il ajoute : « Les paiements coulèrent par Law », étrange source. Saint-Simon avait éprouvé pour Rancé « un singulier attrait », dès la première fois que son père, qui avait jadis connu Rancé « dans le monde », l'avait mené à la Trappe, « qui n'est qu'à cinq lieues de La Ferté ». Il retourna voir Rancé « tous les ans tant qu'il vécut ». « Du vivant de M. de la Trappe, dit-il, j'y passais d'ordinaire six jours, huit, et quelquefois dix. » Une semaine à la Trappe, c'était en ce temps-là (et encore il y a si peu d'années), se couper absolument du monde, n'en rien savoir, vivre d'une autre vie, la vraie solitude, celle qui faisait danser de joie la sœur Anne-Eugénie Arnauld.

Saint-Simon ne demanda pas seulement à Rancé ce qu'il devait penser du Jansénisme, et Rancé l'en détourna, il l'interrogea sur l'opportunité de continuer ses *Mémoires*, dont il lui communiqua quelques fragments. Le premier lecteur de Saint-Simon fut sans doute Rancé, alors vieux et malade. « Le saint et fameux abbé de la Trappe, dit-il, avait été l'homme que j'avais le plus profondément admiré et respecté, et le plus tendrement et réciproquement aimé... Sublime personnage, et tout à la fois si aimable... La merveille de son temps en tout genre. »

Dans l'ordre de la littérature, ce qu'il aurait parfaitement méprisé, Armand-Jean Le Bouthillier de Rancé a eu de la chance. Homme d'Église, il aurait sa place dans les histoires ecclésiastiques, et n'intéresserait pas grand monde. Mais les lecteurs attentifs de Saint-Simon ne peuvent que désirer le mieux connaître. Il a été l'ami, puis l'adversaire de Port-Royal, et Sainte-Beuve lui consacre plusieurs chapitres de son grand livre. Il devint enfin le prétexte du dernier écrit de Chateaubriand. Trois chefs-d'œuvre ont fait vivre jusqu'à nous ce moine austère, qui ne l'avait pas toujours été.

Sa liaison avec Mme de Montbazon avait duré dix ans. C'était une femme très belle, majestueuse, de haute taille et forte, dit Tallemant des Réaux. Il ajoute : « En ce temps-là, elle avait déjà un peu trop de ventre, et la moitié plus de tétons qu'il ne faut; il est vrai qu'ils étaient bien blancs et bien durs; mais ils ne s'en cachaient que moins. » Le cardinal de Retz, qui lui aurait fait des avances sans résultat, assure que « jamais femme n'a été de plus facile composition », s'il y allait de ses intérêts. « Elle eut peu de foi dans la galanterie, nulle dans les affaires. Elle n'aimait rien que son plaisir et, au-dessus de son plaisir, son intérêt. Je n'ai jamais vu personne qui eût conservé dans le vice si peu de respect pour la vertu. » Parmi ses amants, on cite le duc de Beaufort, Henri de Lorraine, duc de Guise, le maréchal d'Hocquincourt. Saint-Évremond fait dire à ce dernier : « J'ai aimé la guerre devant toutes choses, Mme de Montbazon après la guerre, et, tel que vous me voyez, la philosophie après Mme de Montbazon. » Pour l'honneur de celle-ci, Henri de Lorraine avait blessé mortellement le comte de Coligny, au cours d'un duel Place Royale. Elle avait quinze ans de plus que Rancé, et lui inspira la seule passion humaine qu'il paraît avoir eue, tout en conservant avec elle « de grands dehors ». Il était prêtre depuis 1651, mais « fort engagé dans les belles compagnies », dit Dom Le Nain, un de ses biographes. « Homme agréable et spirituel », disent les *Mémoires* du Père Rapin.

Arrivant chez Mme de Montbazon, qui était souffrante, il l'aurait trouvée morte et la tête coupée, soit que le chirurgien fût en train de l'embaumer, soit que le cercueil eût été trop court. Cette anecdote incertaine courait déjà au temps de Saint-Simon, qui interrogea Rancé dont on comprend mal la réponse. On croit plutôt que Rancé assista Mme de Montbazon dans sa dernière maladie. L'ayant quittée un moment, et comme il revenait, il croisa dans l'escalier le fils de la mourante, jeune seigneur dans son bel âge, qui lui dit : « C'en est fait, l'abbé, la farce est jouée! » On a peine à croire qu'un tel mot ait pu être inventé.

Rancé se retira dans sa terre de Véretz, en Touraine, quittant l'un après l'autre ses bénéfices, mais ce n'est que six ans plus tard, en 1663, après avoir rendu visite et consulté les évêques de Comminges et d'Alet, connus pour leur piété, qu'il choisit d'être moine ou plutôt, comme il dit, « frocard ». Les bâtisses paisibles de l'évêché d'Alet, où Rancé vint entretenir l'évêque Pavillon, sont maintenant une hôtellerie encombrée par les caravanes des touristes, et où le soir on danse. Mais il y a toujours la terrasse, dominant une rivière, ce « torrent » au bord duquel Rancé et Pavillon « conférèrent quatre heures tête à tête sur le Jansénisme ». Quant au château de l'évêque de Comminges, Mgr de Choiseul, autre confident de Rancé à la même époque, il n'est plus qu'une grande ruine, dominant le village d'Alan. On peut monter au sommet d'une tour gothique et sur le tympan de la porte, on voit, grandeur nature et en haut relief, une vache.

C'était en 1663 le printemps de Versailles où l'on bâtissait. La Cour y fit en octobre son premier séjour, et Molière y joua son *Impromptu*. Louis XIV aimait Mlle de La Vallière : le temps n'était pas encore à la dévotion, mais Rancé était mort à l'esprit du temps. Il devait écrire plus tard à Mme de La Fayette : « Vous me demandez les raisons qui m'ont déterminé à quitter le monde. Je vous dirai simplement que je le laissai parce que je n'y trouvais pas ce que j'y cherchais. J'y voulais un repos qu'il n'était point capable de me donner. » Son année de noviciat achevée, il fut sacré abbé régulier de Notre-Dame de la Maison-Dieu de la Trappe, dans le Perche, dont il était jusque-là abbé commendataire. Il avait trente-huit ans.

Dans ce monastère cerné de collines et de bois qui, deux ans plus tôt, ne servait guère que de repaire à six religieux plus brigands que moines, et où subsistent encore sur une façade les armes de Saint-Simon, la réforme qu'établit Rancé fut la plus sévère de son siècle [1]. « Son zèle, écrivait Fléchier, a quelque degré de chaleur plus qu'il ne faudrait. » Pour un moine, disait Rancé, « la vie n'est plus bonne que pour être détruite... Que vient-on faire dans les cloîtres ? Apprendre à mourir ». Un écrit de ses disciples résume assez bien la règle qu'il instaura : « Austérité de la nourriture, exactitude des jeûnes, patience dans les maladies, silence, veilles, travail des mains, solitude..., enfin mépris de tout ce qui passe, espérance de tout ce qui est éternel, désir et continuelle méditation de la mort. »

« Quoique enfant, dit Saint-Simon, M. de la Trappe eut pour moi des charmes qui m'attachèrent à lui, et la sainteté du lieu m'enchanta. » Il y retourna donc toute sa vie, d'abord tâchant qu'on n'en sache rien : « Je me cachais fort, à mon âge, de mes voyages à la Trappe. » Ils furent connus un jour, et on ironisa. En dispute avec Saint-Simon, Mme de Lussan devait remarquer dans un court mémoire, « en termes respectueux mais artificieux », dit Saint-Simon : « ... Connaissant la piété de M. le duc de Saint-Simon, dont il donne très souvent des marques si éclatantes, surtout par les retraites qu'il fait dans un saint lieu... » Lorsque le duc de Beauvillier lui refusa une de ses filles en mariage,

1. « Une visite à l'abbaye de la Trappe en 1681 », *Le Magasin pittoresque*, 1862, p. 366 à 369, avec un plan du monastère.

c'est à la Trappe qu'il partit tenter de se consoler, de même lorsqu'il perdit son procès contre le duc de Luxembourg. Il fit passer le peintre Rigaud pour un de ses amis dévot et bègue, qui n'ouvrirait pas la bouche mais brûlait de contempler à loisir le saint abbé. C'est ainsi qu'on peut voir aujourd'hui à la Trappe l'original du portrait de Rancé, fait de mémoire aussitôt après, et très fidèle, dit-on [1]. A propos de ce portrait, et de ce qu'il avait coûté à Saint-Simon, Stendhal note en marge de son exemplaire des *Mémoires* : « Erreur de goût : qui connaît, cent ans après, M. de la Trappe et ses ouvrages? » Nous voici bientôt trois cents après, c'est le goût de Stendhal dont je doute.

Rancé est absent des *Mémoires* de Retz, bien que très lié avec lui, « peut-être compagnon des mêmes plaisirs » dans leur jeunesse. Au cours d'un voyage à Rome, c'est chez le cardinal de Retz qu'il logea, et il lui rendit visite dans sa retraite de Commercy. On peut rêver aux conversations graves que dut avoir avec Rancé le cardinal de Retz, lui qui en avait eu tant d'autres et de plus légères à l'époque où, raconte Scarron, « il se couchait sur mon petit lit jaune pour y parler d'autre chose que de la Fronde. » Saint-Simon rapporte que Retz, pénitent, songea à se faire trappiste. L'abbé Dubois, historien de Rancé, le croit aussi. On a dit que Rancé avait conseillé au cardinal de Retz de détruire ses *Mémoires*, ce qui est plus vraisemblable. Ceux de Saint-Simon expriment pour Rancé un tel enthousiasme, que Retz s'y trouve enveloppé, pour avoir été son ami, et l'ancien Coadjuteur y appa-

---

1. L. Aubry, « A la recherche du vrai portrait de Rancé », *Cîteaux, commentarii cistercienses*, XXIII, 1972, fasc. 2, p. 171 à 208.

raît comme le modèle des solitaires, presque un saint :
Retz « renonça à tout », pour se retirer à Commercy,
après avoir vendu « pierreries, terres, meubles, vais-
selle, équipage », y vécut dans « la pénitence et les
bonnes œuvres », et mourut « dans de grands sentiments de piété », depuis quinze à seize ans déjà « tout
mort au monde ». Cela est tout à fait inexact. Les
écrits du cardinal de Retz, qui sentent peu la piété,
son train de vie d'abord à Commercy (cinquante personnes à son service), ses voyages à Paris et à Rome,
ses tentatives répétées pour rentrer en grâce auprès du
Roi font douter de cette conversion soudaine, et de
son esprit de pénitence et de renoncement volontaire.
« La retraite qu'il vient de faire, avait écrit La Rochefoucauld, est la plus éclatante et la plus fausse action
de sa vie; c'est un sacrifice qu'il fait à son orgueil, sous
prétexte de dévotion; il quitte la Cour où il ne peut
s'attacher, il s'éloigne du monde qui s'éloigne de lui. »
La Rochefoucauld ne l'aimait pas. Mme de Sévigné,
qui l'aimait, n'est pas loin du même doute : « Nous
apprendrons bientôt comme il se trouve dans sa retraite;
il faut souhaiter que Dieu s'en mêle, sans cela tout est
mauvais. » Effectivement, c'est à Paris qu'il mourut.
« On me mande que M. le cardinal de Retz achève
de faire pénitence chez Mme de Bracciano », écrivit
Bussy-Rabutin, l'année qui précéda sa mort. Mme de
Bracciano, c'est la future princesse des Ursins, je goûte
ce retour des personnages là où on les attendait le
moins, et celui-ci nous rappelle Philippe V, l'Espagne,
et une religion toute différente de celle que put avoir
le cardinal de Retz. Il est étrange et significatif que
Saint-Simon, si peu dupe des apparences et de la fausse
dévotion, paraisse n'avoir jamais douté du cardinal de

Retz, sur la seule foi des relations cordiales que ce maître-intrigant avait eues avec Rancé.

Celles de Rancé et de Port-Royal furent autrement agitées et finirent mal. M. d'Andilly avait correspondu avec Rancé, avant que celui-ci eût choisi de quitter définitivement le monde, et avait contribué peut-être à le faire changer de vie. Rancé avait lu le *Petrus Aurelius* de Saint-Cyran, avec « ravissement ». Le duc de Luynes, alors solitaire à Port-Royal, avait été voir le solitaire de Véretz. Le Père Rapin dans ses *Mémoires* assure que Rancé fut initié aux « mystères les plus secrets de la cabale ». Le Père Rapin était Jésuite, et tenté sans doute de voir du Jansénisme partout. Il est vrai que le Père Quesnel, Arnauld et Nicole, vinrent à la Trappe, à une époque où Rancé témoignait d'une grande estime pour Port-Royal, qu'on lui rendait. Quand Nicole, fatigué de la lutte, renonça à suivre Arnauld qui s'exilait en Hollande, Rancé lui conseilla de ne pas faiblir, et de poursuivre le bon combat pour la vérité. M. de Tillemont, l'un de nos *Messieurs*, était le frère de Dom Pierre Le Nain, sous-prieur de la Trappe. Les règles austères qu'y avait apportées Rancé ne rejoignaient-elles pas la morale sans complaisance de Port-Royal?

A la mort d'Arnauld une lettre circula, qui scandalisa Racine maintenant converti, où Rancé disait : « Enfin, voilà M. Arnauld mort... » Les Jansénistes crièrent à la trahison. Il semble que Rancé fut surtout soucieux qu'on ne le confondît pas avec une secte que le Roi détestait, ce qui aurait mis en péril la Trappe. « Mon sentiment, déclara-t-il, est que je fais en cela la volonté de Dieu, quand j'obéis à celle du Roi. » On a vu déjà qu'il mit en garde Saint-Simon contre Port-Royal, avec des sous-entendus peu clairs, insinuant qu'il s'y trouvait de « grands pécheurs », qu'il n'y avait « ni charité, ni paix, ni soumission parmi les vrais Jansénistes, point de vérité ni de bonne foi sur leur doctrine ». Bref, il l'avait incité à ne pas changer de confesseur, un jésuite, et à ne pas se « laisser prendre aux apparences ». Dans un projet de lettre, publié après sa mort, Rancé disait des Jansénistes « que dans les commencements ils avaient été remplis de desseins et de pensées de réformer le monde, et d'en changer la face; et qu'ayant rencontré des oppositions auxquelles ils ne s'attendaient pas, ils avaient pris des voies toutes nouvelles et toutes différentes; et qu'un homme sage et désintéressé n'avait garde d'épouser leurs caprices et de s'attacher à leurs imaginations ». On a rapporté que Rancé transmit un jour à la police l'adresse d'un Janséniste fugitif. La frontière en ce temps-là était incertaine, entre le pouvoir royal et ce qui relevait de l'Église, et Bossuet qui s'y trouvait en sentinelle n'y joua pas toujours un rôle qui fût à son honneur. Ce trait étonne, cependant, et n'est pas le seul.

Rancé régnait sur ses moines avec une autorité absolue. Il entendait que les religieux fussent « foulés comme le raisin dans le pressoir », et c'était là, selon lui, la tâche du supérieur. Pour réduire leur orgueil, il leur infligeait, selon son mot, « des humiliations vives et des mortifications piquantes », mais sans oublier de leur donner aussi « toutes les marques possibles de sa tendresse ». Il leur disait : « Je ne voudrais pour rien au monde désirer quelque chose de vous qui excédât vos forces ou vos intentions », et il en était aimé. « Il les fait aller beau train et les chapitre durement, écrivit

le cardinal Le Camus, et ils portent cela avec joie. »
Toute sa vie, il attaqua, et non sans « quelques excès
de langage »[1], par des lettres, des opuscules, des livres,
ceux qu'il estimait en marge de la vraie tradition de
l'Église, Jésuites, puis Jansénistes, Bénédictins de Saint-
Maur et Mabillon, auxquels il reprochait bibliothèques
abondantes et recherches érudites : l'« étude des
sciences » n'est pas « nécessaire à l'état monastique »,
et toute lecture autre que pieuse ne sert qu'à « dérégler
la tête » d'un moine. « Pour ce qui est des solitaires,
disait-il, ce n'est pas par l'étude et les sciences, mais
par le silence, par la retraite, et par les travaux qu'ils
sont obligés d'édifier et de servir l'Église. » Trop savoir
menaçait-il alors le clergé, tant régulier que séculier,
et le vrai danger n'était-il pas ailleurs? C'est à peu
près ce que lui dit Nicole, et Rancé « depuis ce temps,
cessa de faire présent de ses ouvrages à M. Nicole ».
Mabillon vint à la Trappe, et Rancé se réconcilia avec
lui, mais sans renoncer à l'intransigeance de ses prin-
cipes. A propos de Fénelon, il écrivit : « Si les chimères
de ces fanatiques avaient lieu, il faudrait fermer le
livre des divines Écritures. » Il désapprouvait cette
attitude religieuse chère à Fénelon, « douce, accom-
modante, et même pleine d'une gaieté modeste ». Fénelon avait écrit à Mme de Maintenon : « Rien n'est plus
faux et plus indiscret que de vouloir choisir ce qui
nous mortifie en toute chose. » Rancé repoussait au
contraire ce qui peut embellir humainement la vie,
réconforter, hors l'amour de Dieu. Même les Chartreux lui paraissaient relâchés, et il ne se fit pas faute

1. F. Vandenbroucke, « L'esprit des études monastiques d'après
l'abbé de Rancé », *Collectanea ordinis Cistercensium Reformatorum*, Westmalle,
Belgique, 1963-3, p. 224 à 249.

de le leur dire. Dans une controverse avec M. Le Roy, abbé de Haute-Fontaine (à qui, un moment, on avait attribué les *Provinciales*), Rancé usa de « paroles fortes et rudes » (Bossuet) que son interlocuteur n'avait pas méritées. A l'occasion de Fénelon et du Quiétisme, « on a bien politiqué sur vos lettres », lui écrivait Bossuet. On parla ainsi beaucoup dans le monde de ce solitaire qui ne se laissait pas oublier. Il y a tout à la fois de la légèreté et du vrai dans ce que Voltaire a écrit de Rancé : « Il se dispensa, comme législateur, de la loi qui force ceux qui vivent dans ce tombeau (la Trappe) à ignorer ce qui se passe sur la terre. Quelle inconstance dans l'homme! »

Il existait dans la bibliothèque de Saint-Simon deux recueils manuscrits, reliés comme des livres d'heures, et qui proviendraient de M. de Saint-Louis, ancien soldat retiré à la Trappe. On y trouvait, disait leur auteur, les « saintes instructions que j'ai reçues du saint abbé de la Trappe sur la pure vérité de la religion... ». Or Saint-Simon qui écoutait et parlait si volontiers, et rapporte tant de conversations qu'il avait eues, n'en signale aucune qui ait trait à la religion, même avec les hommes d'Église, sauf les propos de Rancé, avec lui tête à tête. Rancé réservait à ses moines cette absolue séparation du monde qu'il reprochait à Mabillon et à quelques autres de méconnaître. Mais tel qu'il était, on n'imagine pas qu'il ait pu tenir avec Saint-Simon un langage bien différent, et l'ait entretenu des nouvelles et des agitations des hommes. Saint-Simon trouvait à la Trappe le contraire des conversations de cour. Les « instructions » de Rancé, quand il recevait le jeune duc et pair, ne pouvaient aller que dans le sens qui était le sien : il fallait choisir entre le monde et la vérité, et on ne pouvait choisir celle-ci que contre le monde. Rancé était lui-même un exemple de « mort à toutes choses, et de vie pénitente et cachée ». Évoquant la Trappe puis passant à un autre sujet, « après tant de solitude, écrit Saint-Simon, rentrons maintenant dans le monde ».

Qu'il traite des ducs et pairs, de la monarchie, de la mort du chrétien, de la retraite hors du monde, Saint-Simon est comme chacun de nous, en ce qu'il exprime une certaine époque, la sienne, et reprend des idées déjà plus ou moins répandues, mais il les porte à un certain absolu, à un certain excès, au point de les faire changer de nature et de les rendre éclatantes, de ternes qu'elles étaient, et c'est là son génie, à quoi s'ajoute l'art de dire. « La religion de Jésus-Christ est une religion de séparation et de solitude », disait Fléchier dans son *Oraison funèbre* de la Dauphine. Assurément très répandue au temps de Saint-Simon, mais si obsédante chez lui, et surprenante de la part d'un grand seigneur si attaché à la Cour, cette opposition de la solitude et du monde, et cette conscience si souvent manifestée du néant de celui-ci, ne lui viendraient-elles pas surtout de Rancé ?

Les dernières années du réformateur de la Trappe furent troublées par des démêlés bizarres avec un de ses successeurs à la tête du monastère, Dom Gervaise, « qui a été vingt ans et plus Carme déchaux, professeur en philosophie et en théologie dans son ordre à Meaux, prieur dans son ordre plusieurs fois, et dans le fond un excellent homme », écrivait Bossuet quand il fut nommé. Moine scandaleux, selon Saint-Simon, il aurait été victime selon d'autres de M. Maisne, « séculier ambitieux », imposteur plutôt, dit l'abbé Bremond dans sa biographie de Rancé, qui s'était emparé de l'esprit déclinant de Rancé, dont il était le secrétaire. On peut lire dans Saint-Simon le récit de ces intrigues, en se gardant de tout croire. C'est à Bossuet qu'on songea, Rancé mort, pour écrire sa vie. Il n'en voulut rien faire : « Si l'histoire du saint personnage, dit-il, n'est écrite de main habile, et par une tête qui soit au-dessus de toutes vues humaines, autant que le ciel est au-dessus de la terre, tout ira mal. » Cette main habile, un siècle et demi plus tard, ce sera Chateaubriand, passé lui aussi des femmes à Dieu et qui, à ce propos, parlera plus des femmes que de Dieu. Boislisle a publié en appendice de son édition des *Mémoires* de Saint-Simon, une relation anonyme de la mort de Rancé. « Tout me manque, aurait-il dit. Le néant me saisit. Où sont donc les miséricordes du Seigneur? il m'a abandonné. » Et peu après : « Éternité effroyable, ô mort, détournez-vous de mes yeux, tardez un moment. Ah! mon Seigneur, que les montagnes me couvrent! Je me juge moi-même. Que je ne voie pas votre face terrible! Soutenez-moi, mon Seigneur, car je m'égare. » Le souvenir de ses fautes le hantait. Son dernier mot aurait été : « Miséricorde! » Ainsi, dit l'anonyme, connut-il la déréliction et l'abandonnement du Christ sur la croix. Selon une autre relation, que l'évêque de Séez présenta au Roi, Rancé est mort dans la tranquillité et la paix. La première aurait été « fabriquée dans les noires officines du Jansénisme », assure l'abbé Dubois. Elle ne diminue cependant en rien Rancé. « S'il a eu, comme on vous l'a dit, de grandes frayeurs des redoutables jugements de Dieu, écrivit Bossuet à la sœur Cornuau, tenez, ma fille, pour certain que la confiance a surnagé, ou plutôt qu'elle a fait le fond de son état. »

« Des volumes ne suffiraient pas », dit Saint-Simon, pour connaître « une si belle âme et un esprit si vaste », « une vie aussi sublimement sainte », et personne n'a parlé de Rancé comme Saint-Simon. Par le biais du portrait de Rigaud, il évoque « la majesté de son visage, le feu noble, vif, perçant de ses yeux, si difficile à rendre, la finesse et tout l'esprit et le grand qu'exprimait sa physionomie, cette candeur, cette sagesse, paix intérieure d'un homme qui possède son âme,... jusqu'aux grâces qui n'avaient point quitté ce visage exténué par la pénitence ». Dans ses *Légères notions des Chevaliers du Saint-Esprit*, il n'est aucune qualité ni de l'intelligence, ni du caractère, ni du cœur, ni même de l'usage de la bonne compagnie, que Saint-Simon ne lui reconnaisse, et à un degré qu'il présente comme incomparable, et avec cela, dit-il, « une paix inaltérable », et même « une austérité gaie » en même temps, ajoute-t-il, que « terrible et continuelle ». Rancé avait été « l'homme le plus recherché de son temps, galant, magnifique, libéral », menant « une vie délicieuse », et voilà que « la merveille » se produisit : il avait « tout quitté ». « J'étais passionnément attaché à M. de la Trappe », dit Saint-Simon.

Le vrai héros de Saint-Simon n'est pas dans Versailles, de même que pour lui la vérité, la sagesse, la paix, sont dans « un profond mépris des choses d'ici-bas », dans une rupture totale, on pourrait dire sauvage, mais si douce, avec tout ce qui était perpétué et magnifié par Versailles et la Cour. « Rancé est inlassablement revenu sur l'opposition entre la vie du monde et celle de Jésus-Christ, entre les inclinations du monde et celles de Dieu, entre les choses de la terre et celles du ciel, entre l'amour du Siècle et l'amour de Jésus-Christ [1]. » Le choix que proposait l'abbé de Rancé avec tant de rigueur à ses moines, mais aussi à nous tous, n'avait rien d'un appauvrissement, rien de triste malgré la légende, puisqu'il avait pu donner ce personnage si sublime aux yeux de Saint-Simon, dont la ferveur éclate encore dans ses *Nottes sur les Duchés-Pairies* avec une violence étonnante : « Le plus bel esprit de son temps, comme le plus solide, le plus vaste, le plus profond, le plus pénétrant et le plus agréable; sachant tout avec netteté, discernant tout avec justesse, maniant tout, jusqu'aux consciences, avec un talent sublime, avec un dehors si gracieusement issu de tous les charmes imaginables et une politesse si naturelle et des manières si nobles, que dans l'impuissance de se défendre d'un homme si singulièrement et si parfaitement accompli, on ne pouvait discerner ce qui entraînait le plus, ou sa naïve et rare simplicité, ou cette bonté qui se découvrait avec une candeur également sage et entière, ou cette éloquence innée dont il ne s'apercevait pas... »

Saint-Simon se montre toujours faisant la leçon, et donnant des conseils, à ceux même qu'il estimait le plus, Pontchartrain, Beauvillier, et n'en recevant de personne. Il était celui qu'on interrogeait et consultait, qui tranchait, prévoyait même l'avenir, et à qui on finissait par rendre les armes : « Vous l'aviez dit. Vous aviez raison. » Une exception, ici encore unique : Rancé, devant lequel il fut humble, attentif

1. M. Pierre de Grox, « Un monachisme volontaire : l'idéal monastique de l'abbé de Rancé, réformateur de la Trappe », *Cîteaux, commentarii cistercienses*, 1969, IV, p. 276 à 354.

et soumis. Aucune ombre dans le portrait de Rancé, alors que tous les autres sont si soigneusement ou durement contrastés, un seul être vraiment et absolument admirable, dans cette foule qui coule et va vers la mort, tout au long des *Mémoires*.

Sainte-Beuve, papelard, trouve la religion de Saint-Simon pas « aussi éclairée qu'elle aurait pu l'être », et en dit aussitôt la raison : « Après chaque mécompte ou chagrin, Saint-Simon s'en allait droit à la Trappe chercher une consolation. » Ceci vous dévalue un homme, en effet, et mieux vaudrait comme le sénateur Sainte-Beuve trouver consolation chez les cocottes. « Eût-il fait ces retraites, demande Montherlant, si la Trappe ne s'était trouvée à peu de kilomètres de son château ? » Mot d'auteur, ou de théâtre, qui vole bas. A Paris l'abbaye de Saint-Germain-des-Prés, si illustre, et vingt autres couvents, étaient incomparablement plus près de Saint-Simon, parfois à sa porte, sans que l'idée l'effleurât d'y faire retraite. La vérité était pour lui à la Trappe. Il allait s'y replonger de temps à autre, s'y laver, et boire à la source. Il en revenait inchangé, lui reproche Sainte-Beuve, qui cette fois n'a pas tort.

On ne peut douter de sa passion pour la vie à la Cour, ni de son désir de parvenir, d'assurer son rang, de se faire reconnaître et respecter par ceux qu'il méprisait. C'est d'ailleurs pourquoi il est arrivé jusqu'à nous. Il était de ces hommes dont Rancé dit à Arnauld d'Andilly qu'ils sont « persuadés du néant de ce monde et qui travaillent à s'en déprendre », mais lui n'y parvint jamais, pour cette raison même n'admirant que ceux qui ne lui ressemblaient pas. Sans doute ne fut-il pas toujours ainsi, et les *Mémoires* sont l'œuvre de sa vieillesse. Lucidité ou déclin? Chacun en jugera selon ses lumières. Jeune, il allait déjà à la Trappe, et en fut marqué dès le départ. Sa vie passa là-dessus. Les déceptions de son ambition, les coups du sort qui ne l'épargnèrent pas, puis les morts qui l'entourèrent, celle de sa femme, de ses deux fils qu'on avait appelés « les bassets » tant ils étaient petits, ridicules, sa fille difforme, seule de ses enfants survivant, les changements qui se précipitaient et anéantissaient le peu qui subsistait, à ses yeux, d'une société bien faite, son âge enfin et l'exemple si souvent offert et médité de ceux qui s'étaient dépris du monde et l'avaient abandonné sans retour, lui firent discerner avec exactitude le faux brillant et le creux de ce monde-ci, et la vérité d'un autre monde sans lequel la vie n'a pas de sens.

La Préface des *Mémoires* est de 1743, année de la mort de sa femme, et il avait presque soixante-dix ans. Il s'y justifie d'écrire l'histoire de son temps, de bien des manières, péniblement et pâteusement pour la plupart, et c'est là qu'il invoque le Saint-Esprit, où peut-être il n'a que faire. Une raison, pour finir, dont on pourrait penser qu'elle aurait dû le conduire à n'écrire jamais : « Nul des heureux de ce monde ne l'a été », dit-il. S'ils avaient prévu leur avenir et le résultat de tant d'efforts et de peines, ils se « seraient arrêtés tout court dès l'entrée de leur vie », et pour les rares qui seraient passés outre, la fin eût été pire, tout ce qu'ils auraient obtenu étant par leur mort, qu'ils voient venir, « comme non avenu ». Écrire fidèlement l'histoire de son temps, sa propre histoire, serait paradoxalement témoigner de cette vérité : ce qu'on raconte est sans intérêt, on se persuade ainsi de plus fort « du rien de tout », on se montre « à soi-même pied à pied le néant du monde ».

Cet homme qui passe encore pour n'avoir vécu que pour les préséances, savait donc qu'elles ne sont rien, qu'il faut s'en détourner et les fuir, et se retirer, fût-ce à la Cour comme l'avaient fait Beauvillier et Chevreuse, dans l'humilité et la solitude, pour accéder à cette paix qui ne vous est donnée, selon son mot, que « dans le secret de la face de Dieu ».

Bibliographie

I. ŒUVRES DE SAINT-SIMON

Mémoires, avec les Additions au *Journal* de Dangeau, éd. Bois-lisle et Lecestre, 41 vol., Hachette, 1879-1928.
Mémoires, éd. G. Truc, Bibliothèque de la Pléiade, 7 vol., Gallimard, 1954-1961.
Papiers inédits du duc de Saint-Simon, introduction par E. Drumont, A. Quantin, 1880.
Écrits inédits de Saint-Simon, publiés par M. Faugère, 8 vol., Hachette, 1880-1892.

2. MÉMOIRES, CORRESPONDANCES, ÉCRITS DES XVIIe-XVIIIe SIÈCLES

ALBERONI (cardinal Jules) : *Testament politique*, Lausanne, Marc-Michel Bousquet, 1753; — *Lettres intimes adressées au comte J. Rocca*, Masson, 1893.
ARNAULD D'ANDILLY (Robert) : *Mémoires*, Hambourg, Vanden-Hoeck, 2 vol., 1734; — *Journal inédit*, J. Techener, 1857.
ARNAULD (Antoine) et NICOLE (Pierre) : *La Logique ou l'art de penser*, 6e édition, Lyon, Mathieu Libéral, 1727.
BEAUVILLIER (duc de) : *Pensées intimes*, Plon, 1925.
BERWICK (J. FITZ-JAMES, duc de) : *Mémoires*, dans Michaud et Poujoulat, *Nouvelle collection des Mémoires pour servir à l'histoire de France*, 3e série, tome VIII, 1839.
BOILEAU-DESPRÉAUX : *Œuvres*, 2 vol., Didot, 1800.

BOSSUET : *Œuvres complètes*, 19 vol., Outhenin-Chalandre fils, 1840-1841.

BOURGOGNE (duc de) : *Lettres au roi d'Espagne Philippe V et à la reine*, 2 vol., H. Laurens, 1912-1916.

BRICE (Germain) : *Description de la ville de Paris*, 3 vol., 6ᵉ édition, Fr. Fournier, 1713.

BUSSY-RABUTIN (comte de) : *Histoire amoureuse des Gaules*, suivie de *La France galante*, 2 vol., Delahays, 1857-1858.

CAYLUS (Mᵐᵉ de) : *Souvenirs*, Ant. Aug. Renouard, 1806.

CHOISY (abbé de) : *Mémoires pour servir à l'histoire de Louis XIV*, 2 vol., Utrecht, Wan-de-Vater, 1727.

DUCLOS (Ch. PINOT) : *Mémoires secrets*, dans Michaud et Poujoulat, *Nouvelle collection...*, 3ᵉ série, tome X, 1839.

DU FOSSÉ (Thomas) : *Mémoires pour servir à l'histoire de Port-Royal*, Utrecht, aux dépens de la compagnie, 1739.

FÉNELON : *Œuvres complètes*, 10 vol., Leroux, Jouby et Gaume, 1851-1852; — *Correspondance*, 3 vol., Klincksieck, 1972.

FLÉCHIER : *Oraisons funèbres*, Didot, 1824.

GODET DES MARAIS (Messire P.) : *Lettres à Madame de Maintenon*, Dumoulin, 1908.

GUYON (Mᵐᵉ) : *La vie de Madame J. M. B. de la Mothe Guion écrite par elle-même*, Cologne (Amsterdam), 3 vol., 1720.

HAMILTON (Antoine) : *Mémoires du comte de Grammont*, 2 vol., Ménard et Desenne fils, 1819.

HÉBERT (François) : *Mémoires du curé de Versailles*, Éditions de France, 1927.

LA BRUYÈRE : *Les Caractères*, Garnier, 1962.

LA FARE (marquis de) : *Mémoires et réflexions sur les principaux événements du règne de Louis XIV et sur le caractère de ceux qui y ont eu la principale part*, dans Michaud et Poujoulat, *Nouvelle collection...*, 3ᵉ série, tome VIII, 1839.

LA FAYETTE (Mᵐᵉ de) : *La Princesse de Clèves*, Compagnie des Libraires associés, 1764; — *Histoire de Henriette d'Angleterre*, suivie des *Mémoires de la cour de France*, Librairie des bibliophiles, 1890.

LEDIEU (abbé) : *Journal*, 2 vol., Desclée de Brouwer et Cⁱᵉ, 1928-1929.

MAINTENON (Mᵐᵉ de) : *Lettres à d'Aubigné et à Mᵐᵉ des Ursins*, Bossard, 1921.

MARMONTEL : *Règne de Louis XV. Régence du duc d'Orléans*, Verdière, 1819.

MONTPENSIER (Mademoiselle de) : *Mémoires*, 8 vol., Amsterdam, Wetstein, 1735.

(NOAILLES) : *Mémoires politiques et militaires pour servir à l'histoire de Louis XIV et de Louis XV, composés sur les pièces originales recueillies par Adrien-Maurice, duc de Noailles, maréchal de France et ministre d'État*, par l'abbé Millot, dans Michaud et Poujoulat, *Nouvelle collection...*, 3ᵉ série, tome X, 1839.

ORLÉANS (Madame, duchesse d') : *Correspondance complète*, 2 vol., Charpentier-Fasquelle, s. d.

PASCAL : *Œuvres complètes*, Bibliothèque de la Pléiade, Gallimard, 1954.

PERRAULT (Charles) : *Contes de Fées*, Bédelet, s. d.

PIOSSENS (chevalier de) : *Mémoires de la Régence de S.A.R. Mgr le duc d'Orléans*, 3 vol., La Haye, Van Duren, 1742.

RACINE : *Œuvres*, 5 vol., Didot, 1803.

RETZ (cardinal de) : *Mémoires*, 4 vol., Ledoux et Tenré, 1817.

SÉVIGNÉ (Mᵐᵉ de) : *Recueil des lettres*, 10 vol., Rouen, J. Racine, 1790.

SOURCHES (marquis de) [1] : *Mémoires*, 13 vol., Hachette, 1882-1893.

STAAL-DELAUNAY (Mᵐᵉ de) : *Recueil de Lettres*, 2 vol., Bernard, an IX; — *Mémoires*, Didot, 1864.

TALLEMANT DES RÉAUX : *Historiettes*, 10 vol. Garnier, s. d.

(TRONCHAI) : *La Vie et l'esprit de Monsieur Lenain de Tillemont*, s.l., 1713.

URSINS (princesse des) : *Lettres inédites*, Didier, 1859.

VAUBAN : *Projet d'une dixme royale*, Alcan, 1933.

VILLARS (maréchal de) : *Mémoires*, dans Michaud et Poujoulat, *Nouvelle collection...*, 3ᵉ série, tome IX, 1839.

VISCONTI (Primi) : *Mémoires sur la cour de Louis XIV*, Calmann-Lévy, 1909.

VOLTAIRE : *Siècles de Louis XIV et de Louis XV*, 5 vol., Didot, 1803.

---

1. Les *Mémoires* de Sourches seraient de Chamillart, attribution contestée dans Saint-Simon, *Mémoires*, éd. Boislisle et Lecestre, vol. 38, page 177, note 6 : « sans preuves », « imagination ».

3. ESSAIS, ÉTUDES, COMMENTAIRES

ALAIN : *Saint-Simon*, dans *Tableau de la Littérature française*, Gallimard, 1939.

ANDRÉ (Louis) : *Louis XIV et l'Europe*, L'évolution de l'humanité, Albin Michel, 1950.

ARIÈS (Philippe) : *L'Enfant et la vie familiale sous l'Ancien Régime*, Éditions du Seuil, 1973.

ARLAND : *Fénelon*, dans *Tableau de la Littérature française*, Gallimard, 1939.

ASTIER (Emmanuel d') : *Sur Saint-Simon*, Gallimard, 1962.

AURY (Dominique) : *Lecture pour tous* (Fénelon), Gallimard, 1958.

BAINVILLE (Jacques) : *Heur et Malheur des Français*, contenant : *Histoire de deux peuples, Histoire de trois générations, Histoire de France*, Nouvelle Librairie nationale, 1924.

BARINE (Arvède) : *Madame mère du Régent*, Hachette, 1911.

BARTHÉLEMY (Édouard de) : *Les Filles du Régent*, 2 vol., Firmin-Didot, 1874.

BASTIDE (François-Régis) : *Saint-Simon par lui-même*, Écrivains de toujours, Éditions du Seuil, 1953.

BATIFFOL (Louis) : *Biographie du cardinal de Retz*, Hachette, 1929.

BAUDRILLART (Alfred) : *Philippe V et la cour de France*, Revue d'Histoire diplomatique, 3e année, supplément, 1889.

BERTAULT (Philippe) : *Bossuet intime*, Desclée de Brouwer et Cie, 1927.

BERTRAND (Louis) : *Louis XIV*, Fayard, 1944.

BLIARD (Père P.) : *Dubois cardinal et premier ministre*, 2 vol., Lethielleux, s.d.; — *Les Mémoires de Saint-Simon et le père Le Tellier*, Plon et Nourrit, 1891.

BOURGEOIS (E.) : *Alberoni, Madame des Ursins et la reine Élisabeth Farnèse*, Picard, 1891.

BREMOND (Henri) : *L'Abbé Tempête, Armand de Rancé, réformateur de la Trappe*, Hachette, 1929; — *Histoire littéraire du sentiment religieux en France*, 12 vol., Armand Colin, 1967-1968.

BROGLIE (Emmanuel de) : *Fénelon à Cambrai*, Plon, 1884.

CARCASSONNE (Ely) : *État présent des travaux sur Fénelon*, Les Belles Lettres, 1939.

CARRÉ (Henri) : *Mademoiselle fille du Régent,* Hachette, 1936.

CATEL (Maurice) : *Les Écrivains de Port-Royal,* Les plus belles pages, Mercure de France, 1962.

CHANTELAUZE (R. de) : *Le Père de La Chaize,* Durand, 1859; — *Le Cardinal de Retz et les jansénistes,* dans Sainte-Beuve, *Port-Royal,* tome V, p. 526-605, Hachette, 1888.

CHATEAUBRIAND : *Vie de Rancé,* Delloye, 1844.

CHÉRUEL (A.) : *Saint-Simon considéré comme historien de Louis XIV,* Hachette, 1865.

CLÉMENT (Pierre) : *Madame de Montespan et Louis XIV,* Didier et Cie, 1868.

COIRAULT (Yves) : *Les « Additions » de Saint-Simon au « Journal » de Dangeau,* Armand Colin, 1965; — *L'Optique de Saint-Simon,* Armand Colin, 1965; — *Les Manuscrits du duc de Saint-Simon,* Presses Universitaires de France, 1970.

COMBES (François) : *La Princesse des Ursins,* Didier et Cie, 1858.

COURCY (marquis de) : *L'Espagne après la paix d'Utrecht,* Plon, 1891.

DELAVAUD (L.) : *Documents inédits sur le duc de Saint-Simon,* La Rochelle, Imprimerie nouvelle Noël Texier, 1910.

DUBOIS (abbé) : *Histoire de l'abbé de Rancé et de sa réforme,* 2 vol., Ambroise Bray, 1866.

FATTA (Corrado) : *Esprit de Saint-Simon,* Corrêa, 1954.

FUNCK-BRENTANO (Frantz) : *Le Drame des poisons,* Hachette, 1906.

GAIFFE (Félix) : *L'Envers du Grand Siècle,* Albin Michel, 1924.

GAXOTTE (Pierre) : *La France de Louis XIV,* Le Livre club du libraire, 1957.

GAZIER (Cécile) : *Les Belles Amies de Port-Royal,* Librairie académique Perrin, 1930.

GEFFROY (A.) : *Madame de Maintenon, d'après sa correspondance authentique,* 2 vol., Hachette, 1887.

GOLDMANN (Lucien) : *Le Dieu caché,* Gallimard, 1955.

GUERRIER (L.) : *Madame Guyon, sa vie, sa doctrine et son influence,* Didier et Cie, 1881.

GUILLEMIN (Henri) : *Précisions* (Fénelon), Gallimard, 1973.

HALÉVY (Daniel) : *Vauban,* Grasset, 1923.

HALLAYS (André) : *Le Pèlerinage de Port-Royal,* Librairie académique Perrin, 1920; — *Les Perrault.* Librairie académique Perrin, 1926.

JAMETEL (comte) : *Lettres inédites, Louis XIV, Philippe V, roi d'Espagne...*, Capiomont et Cⁱᵉ, 1898.

LA FORCE (duc de) : *Lauzun*, Hachette, 1926.

LANSON (Gustave) : *Hommes et livres* (Alberoni), Lecène, Oudin et Cⁱᵉ, 1895.

LAURAS (M.) : *Bourdaloue*, 2 vol., Sté générale de librairie catholique, 1881.

LA VARENDE (Jean de) : *M. le duc de Saint-Simon et sa comédie humaine*, Hachette, 1955.

LEBOIS (André) : *Littérature sous Louis XV* (Saint-Simon), Denoël, 1962.

LE BRETON-GRANDMAISON : *Pierre Nicole*, Albin Michel, 1945.

LEMOINE (Jean) : *Madame de Montespan et la légende des poisons*, Henri Leclerc, 1908.

LEVRON (Jacques) : *La Vie quotidienne à la cour de Versailles aux XVIIᵉ et XVIIIᵉ siècles*, Hachette, 1972.

LORRIS (Pierre-Georges) : *Le Cardinal de Retz*, Albin Michel, 1956.

MAGNE (Émile) : *Images de Paris sous Louis XIV*, Calmann-Lévy, 1939.

MANDROU (Robert) : *Louis XIV en son temps*, Presses Universitaires de France, 1973.

MESNARD (Jean) : *Pascal et les Roannez*, 2 vol., Desclée de Brouwer, 1965.

MONGRÉDIEN (Georges) : *La Journée des Dupes*, Gallimard, 1967.

MONTHERLANT : *Aux fontaines du désir* (Aranjuez et Saint-Ildefonse), Grasset, 1927; — *Textes sous une occupation* (Saint-Simon), Gallimard, 1953.

NOAILLES (duc de) : *Histoire de Madame de Maintenon*, 4 vol., Comptoir des imprimeurs-unis, 1849-1858.

ORCIBAL (Jean) : *Louis XIV et les protestants*, Vrin, 1951; — *Saint-Cyran et le jansénisme*, Éditions du Seuil, 1961; — *L'Abbé de Fénelon, sa famille et ses débuts*, t. I de la *Correspondance* de Fénelon, Klincksieck, 1972.

ORIEUX (Jean) : *Bussy-Rabutin*, Club des Éditeurs, 1958.

PAUTHE (abbé L.) : *Madame de La Vallière, la morale de Bossuet à la cour de Louis XIV*, Letouzey et Ané, 1889.

PICARD (Raymond) : *La Carrière de Jean Racine*, Gallimard, 1956.

PIEPAPE (général de) : *La Duchesse du Maine*, Plon, 1910.

PILASTRE (E.) : *La Religion au temps du duc de Saint-Simon*, Félix Alcan, 1909.

POISSON (Georges) : *Album Saint-Simon*, Bibliothèque de la Pléiade, Gallimard, 1969; — *Monsieur de Saint-Simon*, Berger-Levrault, 1973.

POMMIER (Jean) : *Aspects de Racine*, Nizet, 1954.

PROUST : *Pastiches et mélanges* (Saint-Simon), Gallimard, 1937.

ROUJON (Jacques) : *Le Duc de Saint-Simon*, Dominique Wapler, 1958.

ROUSSET (Camille) : *Histoire de Louvois*, 4 vol., Didier et Cie, 1865.

ROUVIER (Jean) : *Les Grandes Idées politiques. Des origines à J.-J. Rousseau*, Bordas, 1973.

SAINT-GERMAIN (Jacques) : *Les Financiers sous Louis XIV*, Plon, 1950; — *La Reynie et la police du grand siècle*, Hachette, 1962; — *La Vie quotidienne en France à la fin du grand siècle*, Hachette, 1965.

SAINT-RENÉ TAILLANDIER (Mme) : *Madame de Maintenon*, Hachette, 1929.

SAINTE-BEUVE : *Causeries du Lundi*, 16 vol., Garnier, s.d.; — *Nouveaux lundis*, 13 vol., Calmann-Lévy, 1884-1890; — *Port-Royal*, 7 vol., Hachette, 1888-1900.

SERRANT (Marie-Léon) : *L'Abbé de Rancé et Bossuet*, Téqui, 1903.

SORIANO (Marc) : *Les Contes de Perrault, culture savante et traditions populaires*, Gallimard, 1968; — *Le Dossier Charles Perrault*, Hachette, 1972.

STENDHAL : *Mélanges intimes et Marginalia*, 2 vol., Le Divan, 1936; — *Courrier Anglais*, tome 2, Le Divan, 1938 (Saint-Simon).

TAINE : *La Fontaine et ses fables*, Lausanne, Éditions L'âge d'homme, 1970; — *Essais de critique et d'histoire* (Saint-Simon et Fléchier), Hachette, 1896; — *Les Origines de la France contemporaine*, t. 1 : L'Ancien Régime, Hachette, 1882.

TROUVÉ (baron) : *Le Dauphin duc de Bourgogne, petit-fils de Louis XIV*, Amyot, 1857.

VAN DER CRUYSSE (Dirk) : *Le Portrait dans les « Mémoires » du duc de Saint-Simon*, Nizet, 1971.

VOGUË (marquis de) : *Le Duc de Bourgogne et le duc de Beauvillier*, Plon, 1900.

ZIEGLER (Gilette) : *Les Coulisses de Versailles. Le règne de Louis XIV*, Julliard, 1963; — *Les Coulisses de Versailles. Louis XV et sa cour*, Cercle du nouveau livre d'histoire, 1965.

DU MÊME AUTEUR

nrf

Romans

L'AGE INGRAT.
L'AUBERGE FAMEUSE.
JULIETTE BONVIOLLE.
LE FILS.
LES MARIAGES DE RAISON.
LE BONHEUR DU JOUR.
LES CARTES DU TEMPS.
LES JEUX DE LA NUIT.
LA BATAILLE DE TOULOUSE
DES JARDINS EN ESPAGNE.

Essais

JOUHANDEAU (La Bibliothèque idéale).
PLAISIRS ET LECTURES I et II.
LE SACRE DE NAPOLÉON (Trente journées qui ont fait la France).
CHARLES X *roi ultra* (Leurs figures).

En préparation

LE PARAPLUIE DE LOUIS-PHILIPPE.

Cet ouvrage
a été achevé d'imprimer
sur les presses de l'Imprimerie Floch
à Mayenne le 15 décembre 1975.
Dépôt légal : 4ᵉ trimestre 1975.
Nᵒ d'édition : 20681.
Imprimé en France.
(13980)

20681